Chères lectrices,

Le premier baiser… Petites filles déjà, nous nous demandions, un peu inquiètes, quand ce grand événement se produirait pour nous. Adolescentes, nous l'espérions dans le secret de notre chambre, en écoutant de la musique ou en feuilletant des romans. Et lorsque nous avons été amoureuses, nous l'avons attendu le cœur battant, en imaginant des milliers de scénarios possibles dans lesquels l'être aimé faisait le premier pas… Ces rêves, et cette délicieuse attente, sont tellement emplis d'émotions qu'ils font, eux aussi, partie de nos plus merveilleux souvenirs ; ils sont devenus indissociables des moments bouleversants que nous avons vécus… quand enfin il s'est décidé à nous enlacer !

C'est ce que va vivre Pippa, l'héroïne de *Coup de foudre pour un séducteur* (Azur n° 2614) dans les bras du ténébreux et séduisant Andreo d'Alessio, l'homme dont elle est tombée amoureuse dès le premier regard. Près de lui, elle n'attend plus qu'une chose : qu'il la prenne dans ses bras et qu'il l'embrasse avec passion…

Excellente lecture !

La responsable de collection

Mensonge et désir

PENNY JORDAN

Mensonge et désir

COLLECTION AZUR

éditions **Harlequin**

*Cet ouvrage a été publié en langue anglaise
sous le titre :*
EXPECTING THE PLAYBOY'S HEIR

Traduction française de
MARIANNE IUBIRE

HARLEQUIN®

est une marque déposée du Groupe Harlequin
et Azur ® est une marque déposée d'Harlequin S.A.

Toute représentation ou reproduction, par quelque procédé que ce soit, constituerait une contrefaçon sanctionnée par les articles 425 et suivants du Code pénal.
© 2005, Penny Jordan. © 2006, Traduction française : Harlequin S.A.
83-85, boulevard Vincent-Auriol, 75013 PARIS — Tél. : 01 42 16 63 63
Service Lectrices — Tél. : 01 45 82 47 47
ISBN 2-280-20517-3 — ISSN 0993-4448

1.

Parfois, Julia aurait donné n'importe quoi pour travailler dans un autre domaine que l'événementiel. C'était précisément le cas en cet instant.

Toutes les stars du moment se trouvaient à Majorque dans la luxueuse villa louée pour le premier anniversaire de mariage du couple d'acteurs le plus en vue d'Hollywood. *La vie de la jet-set*, le magazine qui finançait l'événement, avait déjà décrété qu'ils formaient le couple le plus glamour de l'année.

Tandis que les « amis » des acteurs célébraient cette occasion en buvant plus que de raison, le propriétaire et rédacteur en chef du magazine, le flamboyant Dorland Chesterfield, interviewait l'heureux couple, pendant que ses photographes se mêlaient à la foule des invités.

Julia se demanda si elle n'était pas en train de devenir cynique. Pourtant, elle comprenait que Lucy, son amie et la propriétaire de la société Clé en main, ait été alléchée par le montant vertigineux de la commission qu'on leur avait proposée pour l'organisation de cette fête.

Dorland était millionnaire, mais surtout il était *très* influent. Etre engagé par lui ouvrait bien des portes et promettait d'importants bénéfices, comme n'avait pas manqué de le souligner Nick, le mari de Lucy. Ce dernier avait été ravi que Clé en main ait décroché un contrat pour la fameuse fête de fin d'été que Dorland organisait chaque année.

Un petit pli se dessina sur le front de Julia lorsqu'elle se rappela les commentaires désobligeants que Nick avait faits sur Dorland :

— Ce type est un idiot obèse doublé d'un lèche-bottes… On n'est même pas sûr que ce soit un homme.

— C'est faux et injuste, Nick, avait-elle immédiatement protesté.

Certes, Dorland avait quelques kilos en trop, et il courait bien une rumeur disant que, avant de devenir célèbre et de créer son magazine, il avait subi une mystérieuse opération chirurgicale qui l'avait transformé : les spéculations allaient bon train sur ses orientations sexuelles.

Julia le soupçonnait d'être au-dessus de ces considérations, car bien qu'il fût toujours entouré d'une cour de jeunes gens ambitieux des deux sexes, on ne lui connaissait de relation intime avec personne. Dorland semblait n'avoir qu'un grand amour dans sa vie : la gloire. Les femmes l'adoraient et il savait si bien flatter les ego que même les stars les plus inaccessibles baissaient la garde devant lui.

Dorland admirait vraiment les célébrités, et sentant cela, celles-ci se tournaient vers lui pour lui offrir des articles en exclusivité qui rendaient les rédacteurs en chef des autres magazines verts de jalousie.

Nick affectait de le haïr et de le mépriser, mais Julia se demandait si ce n'était pas simplement parce qu'il enviait sa richesse et son succès.

C'était à elle — et non à Nick —, qu'était revenue la tâche d'organiser et de coordonner les deux événements pour lesquels Dorland les avait engagés. Sous prétexte de devoir démarcher de nouveaux clients, Nick s'était arrangé pour la laisser gérer les détails pratiques et composer avec certaines personnalités difficiles. Il était cependant présent aujourd'hui.

Une douleur mêlée de culpabilité étreignit le cœur de Julia. Il n'y avait pas si longtemps, elle avait secrètement rêvé que Nick et elle formeraient un couple. Quand il l'avait quittée pour épouser Lucy, peu de temps après qu'elle les ait présentés l'un à l'autre, elle avait fait de son mieux pour cacher ses sentiments et garder son chagrin pour elle.

Nick et elle n'avaient pas été plus loin que quelques baisers passionnés. Heureusement, elle n'avait parlé à personne de ce qu'elle ressentait pour lui. Mais depuis quelque temps, il avait commencé à se plaindre auprès d'elle de son mariage, disant qu'il avait l'impression d'avoir fait une erreur. De son côté, Lucy paraissait également triste et tendue.

Après avoir parcouru le parc du regard pour s'assurer que tout allait bien, Julia s'apprêtait à entrer dans la villa pour vérifier que l'interview se déroulait dans de bonnes conditions, quand Nick apparut derrière elle et posa une main sur son épaule nue.

— Non, Nick, le prévint-elle.

— Non ? murmura-t-il. Tu sais que tu as envie de moi…

— Ce n'est pas vrai, protesta-t-elle farouchement. Je te rappelle que tu es marié à Lucy.

— Ne m'en parle pas !

Instantanément, Julia eut un mouvement de recul : c'était exactement ce qu'elle ne voulait pas entendre. Mais Nick la tenait toujours par l'épaule. En s'approchant encore, il susurra à son oreille :

— Tu te souviens comme c'était bon entre nous ? Qu'est-ce qui te retient ? Pourquoi ne pas nous amuser ensemble, puisque nous en avons tous les deux envie ? Je pourrais venir dans ta chambre tout à l'heure. Personne ne le saurait et…

— Non ! C'est fini entre nous, Nick. Je ne plaisante pas. Et je ne changerai pas d'avis.

— Oh si, tu verras, dit-il d'une voix mielleuse. Et tu le sais aussi bien que moi.

Julia le vit se pencher vers elle : il était sur le point de l'embrasser. Elle fut gagnée par la panique et la culpabilité. La dernière fois qu'il l'avait embrassée, ils étaient sous une lune tropicale dans le jardin du luxueux hôtel où ils s'étaient rencontrés et où elle avait cru qu'il éprouvait quelque chose pour elle. Mais à la fin des vacances, c'est à Lucy que Nick avait déclaré son amour. Et Lucy était une amie très proche de Julia. En aucun cas elle ne trahirait cette amitié.

Elle réussit tant bien que mal à se dégager, mais elle avait à peine fait quelques pas que des doigts enserraient son bras.

— Non, Nick, je pensais vraiment ce que je t'ai dit, dit-elle d'un ton tranchant, sans tourner la tête.

— Ah oui ? Ce n'est pas ce qu'il semblait croire. Moi non plus, d'ailleurs.

— Silas ! s'exclama-t-elle, pétrifiée. Qu'est-ce que tu… ?

— Qu'est-ce que j'ai entendu ? Tout. Depuis combien de temps cette histoire dure-t-elle ?

— Il n'y a aucune histoire !

Le regard qu'il posait sur elle, la froideur de ses yeux, le pli cynique de sa bouche, tout en lui indiquait qu'il ne la croyait pas. La colère monta en elle.

— C'est la vérité, insista-t-elle. Je connaissais Nick avant qu'il ne rencontre Lucy. C'est à cette relation qu'il faisait référence… Mais ça ne te regarde en rien.

— Il semble penser que tu as envie de reprendre cette relation.

— Eh bien, il se trompe.

La façon dont il la regardait ne faisait qu'aviver sa colère. Silas et elle ne s'étaient décidément jamais entendus. Elle l'acceptait pour ne pas contrarier son grand-père, mais elle ne comprenait pas pourquoi celui-ci s'était pris d'affection pour cet Américain qui, en tant que descendant de la branche cadette de la famille, hériterait un jour de son titre et de ses terres.

— Mais tu le désires, dit Silas.

— Non ! protesta-t-elle, furieuse. Nick est le mari de Lucy, et elle est ma meilleure amie.

— Je sais, oui. Mais je sais aussi que si tu pensais vraiment ce que tu dis, tu ferais en sorte qu'il comprenne que tu n'es pas libre.

— Et peux-tu me dire comment, exactement ?

Silas eut un haussement d'épaules impressionnant, que seuls les hommes très grands et très musclés peuvent avoir. Et comme chaque fois, cette virilité troublante qui le caractérisait provoqua en Julia un frisson qui ne fit qu'accroître son agacement. Il n'avait pas le droit d'être aussi sexy ! Il était injuste qu'un homme qui l'énervait autant possède un physique à faire se pâmer toutes les femmes comme de jeunes adolescentes.

— En faisant ce qu'il faut. Soit en quittant ton travail…

— Je ne ferai jamais ça ! l'interrompit-elle. Surtout que Lucy ne peut plus compter sur Carly, maintenant qu'elle s'est mariée avec Ricardo et qu'elle attend un bébé. Je ne peux pas la laisser tomber à mon tour.

— … soit en faisant comprendre à Blayne que tu n'es pas libre.

— Je lui ai déjà dit que je ne l'étais pas.

— Mais, comme il peut le constater, tu l'es. D'un autre côté, s'il y a un autre homme dans ta vie…

— Il n'y en a pas.

— Alors trouve quelqu'un qui accepte de faire semblant, le temps que Nick Blayne renonce.

— Et qui par exemple ?

— Moi.

— Comment ? s'écria-t-elle en secouant la tête. Toi ? Non ! Pas question ! Jamais. En aucun cas. De toute façon, tout le monde sait que nous nous détestons.

— Il n'est pas rare que certains couples découvrent que ce qu'ils croyaient être de l'amour s'est transformé en haine. Alors pourquoi l'inverse ne serait-il pas vrai ?

— Je n'en crois pas mes oreilles ! Tu crois vraiment que je vais accepter de faire semblant d'être avec toi ?

— Je croyais que tu voulais sauvegarder le mariage de Lucy.

— Oui, mais pas en m'offrant en sacrifice !

— Quelle image ! Mais j'avoue que l'idée de te voir offerte…

— Jamais ! Pas avec toi.

— Mais avec Nick Blayne, éventuellement ?

— Non !

— Alors, prouve-le.

— A quoi ça rime, Silas ? Et d'abord, qu'est-ce que tu fabriques ici ? Tu détestes ce genre de soirées.

— Je suis ici parce que tu y es, répondit-il avec un autre haussement d'épaules.

Ce mouvement sous sa veste en lin fit naître dans l'esprit de Julia de troublantes images… Des épaules viriles, un torse musclé. Son corps nu au-dessus du sien…

Silas, nu ? Elle n'avait pas l'habitude de songer à lui ainsi ! Etait-ce parce que sa vie sexuelle était inexistante depuis une éternité ?

— Oui, bien sûr, répondit-elle précipitamment en chassant ces pensées audacieuses.

— Tu devrais porter un chapeau par cette chaleur. Tu as le visage tout rouge.

Le soleil n'y était malheureusement pour rien… Julia avait

beau détester Silas, elle ne pouvait s'empêcher d'être troublée par lui.

— Et toi, pourquoi accepterais-tu de jouer la comédie ?

— Eh bien, d'abord, je veux que ton grand-père ait l'esprit tranquille et qu'il reste en bonne santé. Nous savons tous les deux combien il serait contrarié si les journaux s'emparaient de l'histoire sordide de sa petite-fille adorée impliquée dans une histoire d'adultère. Et puis… Disons que cela m'arrangerait en ce moment que l'on croie que j'ai une relation amoureuse.

Silas estima préférable de ne pas évoquer le nom d'Aimée de Troite et les problèmes qu'elle lui posait. Il était inutile de mettre Julia au courant. Quant à Aimée, puisqu'elle continuait à vouloir s'immiscer dans sa vie privée, elle comprendrait qu'elle perdait son temps si elle pensait qu'il était avec une autre femme.

Bien sûr, ce n'était pas la principale raison pour laquelle il agissait ainsi…

— Ecoute, reprit-il, tes relations avec Blayne ne me regardent sans doute pas, mais je crois que faire semblant d'être avec moi rassurerait Lucy. Elle n'était pas loin quand il t'a embrassée dans le cou.

Julia regarda aussitôt par-dessus l'épaule de Silas pour voir Lucy qui discutait avec le rédacteur en chef du magazine.

— Elle l'a vu ?

— Oui.

Lucy, son amie d'enfance, qui semblait toujours dissimuler une fragilité, une vulnérabilité intérieure, serait dévastée à l'idée que son mari puisse la tromper avec sa meilleure amie. En aucun cas Julia ne pouvait laisser cela se produire. Quels que soient les sacrifices qu'elle serait amenée à faire.

— Très bien. C'est d'accord, lui annonça-t-elle.

Cela lui permettrait de sauvegarder le mariage de son amie… et peut-être de soulager sa culpabilité ?

2.

— Ah ! tu es là ! s'exclama Julia en espérant ne pas trahir son malaise devant l'apparition de Silas qui venait de poser un bras autour de ses épaules.

— Je t'ai manqué ? demanda-t-il d'une voix chaude en plongeant son regard dans le sien.

Silas aurait dû être acteur, songea Julia en le voyant jouer son rôle à la perfection. Même son propre corps se laissait abuser… Quant à Lucy et Dorland Chesterfield, leur expression étonnée et ravie montrait qu'ils étaient bien loin de se douter que Silas était en train de jouer la comédie.

— Julia ! s'exclama Lucy. Mais pourquoi ne m'as-tu rien dit ?

— Quel scoop délicieux ! dit Dorland en essuyant son visage en sueur avec son mouchoir. Des milliards de dollars, un titre de noblesse, un lointain lien de parenté : tout y est, c'est parfait !

— Dorland…

— C'est encore un peu nouveau pour nous, n'est-ce pas ? fit Silas en couvrant la voix de Julia.

Elle se tourna vers lui. Il avait raison, il faisait trop chaud et elle aurait dû mettre un chapeau. Car elle se sentait bizarre tout à coup : la tête lui tournait et son cœur battait trop vite.

— Julia, tu rougis ! s'exclama Lucy en riant.

Tout ceci prenait une tournure ridicule…

— Nous avions dit que nous ne l'annoncerions pas publiquement tout de suite, tu te souviens ? dit-elle à Silas en essayant de prendre une voix douce qui contrastait avec ses yeux qui lançaient des éclairs.

— Je ne m'en souviens pas, rétorqua-t-il malicieusement.

— Rien que votre façon de regarder Julia trahit ce que vous ressentez, Silas, dit Lucy en riant. Vos yeux disent : « Je t'aime et je te veux dans mon lit. »

— Oui… C'est vrai que ça fait un moment, répondit-il sans vergogne.

Julia avait hâte de se retrouver seule avec lui pour lui dire ce qu'elle pensait du zèle avec lequel il jouait son rôle.

— Vous allez devoir délaisser votre fondation quelque temps pour passer du temps avec Julia, dit Dorland.

Julia jeta à Silas un regard triomphant en attendant sa réponse. Elle savait qu'il ne pourrait jamais faire ça. Il était pris à son propre piège, et il le méritait bien.

La main qu'il avait posée sur son épaule était maintenant sur sa nuque et caressait la racine de ses cheveux. Elle dut lutter contre le désir instinctif de pencher la tête comme une chatte câline pour qu'il prolonge sa caresse.

— C'est exactement ce que j'ai l'intention de faire. C'est d'ailleurs ce que je fais déjà. A partir de maintenant, j'irai partout où Julia ira.

— Tu ne peux pas faire ça, objecta-t-elle, en proie à la panique. Je travaille !

— Bien sûr, mais pas vingt-quatre heures par jour. Et quand tu ne travailleras pas…

— Silas, vous ne pouvez pas me prendre Julia avant la fin de l'année ! Nous avons tant de travail que je ne pourrai pas me passer d'elle, surtout maintenant que Dorland nous a confié sa grande soirée de fin d'été.

— Je vous la laisse jusqu'à la fin de l'année, soit. Mais comme je l'ai dit, je la suivrai lors de ses déplacements... Et son temps libre m'appartient.

— Vous devez vraiment être amoureux ! Je croyais que vous détestiez les fêtes et les grands événements.

— C'est vrai, mais j'aime assez Julia pour les supporter.

Celle-ci décida qu'elle en avait assez entendu.

— Chéri, je ne peux pas te laisser faire un tel sacrifice. Tu vas t'ennuyer à mourir ! Et puis, nous allons passer le reste de notre vie ensemble, ajouta-t-elle avec un sourire tendre.

— Comment le fait d'être avec toi pourrait-il être un sacrifice ? demanda-t-il en resserrant son étreinte.

Sa main libre était posée sur sa hanche et la caressait tendrement, dans un geste de troublante intimité.

— Non, ma décision est prise. Sauf si Lucy y voit une objection, je te suivrai partout où tu iras.

— Bien sûr que je n'y vois aucune objection, assura cette dernière. Tu as les noces d'argent des Silverwood ainsi que les dix-huit ans de leur fils à organiser, n'est-ce pas, Julia ? Cela représente beaucoup de travail, je le sais.

La jeune femme s'interrompit quelques instants, l'air un peu troublé.

— A propos, poursuivit-elle d'une voix mal assurée, Nick m'a dit que tu aimerais qu'il vienne te donner un coup de main, et...

— Non ! protesta Julia. Je veux dire, ce ne sera pas la peine, il n'a pas besoin de faire ça. Nick a dû mal interpréter ce que je disais.

Nick avait menti, mais elle n'avait pas le cœur de le dire à Lucy. Celle-ci parut soulagée par sa réponse.

— Et n'oubliez pas ma grande soirée de fin d'été ! rappela Dorland.

— Oui, tu t'en occuperas, Julia, acquiesça Lucy. Quant à moi,

16

je m'occuperai des contrats pour l'Angleterre. Il ne te restera plus que la fête du cheik à Dubaï pour la fin du ramadan.

— Très bien, répondit Julia. Mais pour l'instant, il est temps de faire servir le buffet. Je dois aussi vérifier que le champagne est prêt pour le toast, et que les feux d'artifice sont bien installés. Alors, si vous voulez bien m'excuser…

Elle se retourna pour s'en aller mais Silas l'arrêta. Il avait réussi à saisir sa main et l'enlaçait amoureusement, la retenant prisonnière. Elle lui jeta un regard furieux, mais il ne sembla pas impressionné.

— Silas, commença-t-elle en serrant les dents.

Mais elle s'arrêta quand il porta sa main à ses lèvres, et qu'il déposa un baiser délibérément sensuel au creux de sa paume. Elle se sentit soudain envahie par une intense bouffée de désir qu'elle n'aurait jamais imaginé ressentir face à Silas.

Quand il lâcha sa main, son corps tout entier tremblait. Elle dut prendre sur elle pour rester debout et soutenir son regard.

Sans discontinuer, les photographes de Dorland prenaient des clichés qui fascineraient les lecteurs du magazine, la semaine suivante. Il y avait également la foule des attachés de presse, des maquilleuses, des coiffeurs, des coachs sportifs, des stylistes, des astrologues… Aucune star digne de ce nom ne se déplaçait sans son indispensable cour !

La poudre blanche si prisée par certains était également présente, et Julia ne comptait plus le nombre de fois où elle avait dû refuser de « prendre un petit quelque chose ».

Pour ceux qui suivaient avec avidité l'actualité des stars, la vie de ces gens semblait enviable et fascinante. Mais sous les paillettes, la réalité était bien plus sombre.

Julia était en train de discuter avec Dorland.

— Heureusement que chez Tiffany, ils sont revenus sur leur décision et qu'ils ont finalement accepté de prêter à Martina cette rivière de diamants qui lui plaisait tant, dit-il. Elle aurait été si déçue de ne pas pouvoir la porter lors de sa soirée.

— C'est grâce à toi, souligna Julia, ignorant sciemment la présence de Silas à ses côtés.

— Oh, je leur ai juste dit qu'ils manqueraient une formidable occasion de se faire de la publicité s'ils refusaient, admit Dorland en riant.

— Ils étaient peut-être soucieux de ne pas perdre un collier qui vaut plusieurs millions de dollars, fit remarquer Silas. Ce ne serait pas la première fois qu'une star « perdrait » un bijou qu'on lui a prêté.

— Oh, Silas, comme vous êtes cynique ! protesta Dorland théâtralement. A propos, quel genre de bague allez-vous offrir à notre chère Julia ? Quelque chose de moderne ? Ou bien un bijou de famille ? J'ai entendu dire que vous aviez retrouvé la plupart des objets que votre arrière-arrière-grand-père commun avait perdus au jeu… et que vous aviez déboursé pour cela une somme équivalente à la dette nationale d'un petit pays.

— Silas, c'est vrai ? demanda Julia.

— La parure de saphirs et de diamants offerte à notre arrière-arrière-grand-mère pour ses fiançailles a une grande valeur historique. Rassembler toutes les pièces était un projet passionnant.

— *Toute* la parure ? demanda-t-elle les yeux écarquillés.

Jadis, un maharadjah avait offert de magnifiques joyaux à leur aïeule, alors une toute jeune femme, dont il était éperdument épris. Les archives familiales, que son grand-père lui avait montrées quand il lui avait raconté cette histoire, dressaient la liste de tous les cadeaux du prince indien : non seulement un collier, des boucles d'oreilles, des bracelets et une tiare, mais aussi des peignes et des brosses, des flacons de parfum et un coffret orné de pierres précieuses. Le collier à lui seul comportait sept saphirs d'une couleur et d'une taille extraordinaires.

— Toute la parure, oui, confirma Silas.

— Ah, Julia, comme tu as de la chance ! Tu es tombée sur un vrai milliardaire… C'est vraiment cool ! s'exclama Dorland.

« Cool » ? Non, cet adjectif ne s'appliquait pas vraiment à Silas ! C'était bien trop léger pour décrire un homme aussi dangereusement viril…

Comment faisait-il l'amour ? Cette question qui naquit malgré elle dans son esprit la mit au comble de la gêne.

— Il faut que j'y aille, prétendit-elle soudain pour s'échapper. J'ai une réunion avec les attachés de presse.

A l'intérieur de la villa, « l'heureux couple » d'acteurs qui répondait à de nouvelles questions des journalistes, semblait tout sauf heureux.

L'amour… Avec les années, elle y croyait de moins en moins, se dit Julia avec cynisme en allant prévenir le traiteur qu'il était l'heure de servir le buffet.

La villa louée pour l'occasion avait appartenu à un amateur d'art excentrique qui l'avait fait construire dans les années 1900 pour abriter sa collection d'antiquités. Juchée sur un petit promontoire dominant la mer, son architecture rappelait vaguement celle d'une villa romaine, avec une cour fermée délimitée par des colonnes de marbre, et au centre une grande piscine.

Au coucher du soleil, il était prévu que les deux stars renouvellent leurs vœux sur la terrasse face à la mer. Au fur et à mesure que le soleil disparaîtrait, sa lueur serait remplacée par celle de mille et une bougies.

Julia espérait à présent qu'elle avait prévu suffisamment de personnel pour cette opération. L'idée était d'allumer une bougie sur dix, puis les suivantes, et ainsi de suite jusqu'à ce qu'elles brûlent toutes. Pourvu que cela fonctionne ! pensa-t-elle.

Elle avait toujours des picotements dans la paume, là où Silas avait déposé un baiser. Ce n'était pas juste un baiser, se souvint-elle, indignée. Sa langue avait tracé un cercle de feu sur sa peau, y laissant une brûlure qui ne semblait pas s'apaiser.

Pour être capable d'un geste si expert, il devait être un amant talentueux. Mais était-il sensuel et passionné ? Se consacrait-il au désir qu'il éveillait chez sa partenaire ? Est-ce qu'il… ?

Non, ces questions n'avaient aucun intérêt. Elle ne s'imaginait vraiment pas céder au charme de Silas, comme le faisaient toutes les jeunes femmes qu'il avait jadis invitées à Amberley…

Un été, alors qu'elle était encore une jeune écolière, elle se souvenait avoir enragé de voir Silas passer ses vacances à Amberley au moment où elle-même s'y trouvait. Pourtant, elle savait déjà qu'un jour, à la mort de son grand-père, tout le domaine appartiendrait à ce lointain parent.

Mais aujourd'hui, ce n'était pas l'idée de perdre Amberley qui lui faisait mal, mais plutôt la peur de perdre son grand-père qui avait maintenant soixante-dix ans, et dont le cœur était affaibli par un grave accident cardiaque survenu dix-huit mois auparavant.

Elle tenait énormément à lui. Il avait offert un toit à Julia et à sa mère après le divorce de celle-ci et il avait toujours été son principal modèle masculin. Sa mère s'était remariée depuis trois ans maintenant, mais, même si Julia appréciait son beau-père, celui-ci ne pourrait jamais prendre la place de son grand-père dans son cœur.

Qu'avait voulu dire Silas en reconnaissant que cela l'arrangerait que l'on croie qu'il avait une relation amoureuse ? Voulait-il parler d'une femme ? Ce n'était pourtant pas son genre d'avoir peur d'annoncer à une maîtresse que leur relation était terminée… Un jour, pourtant, pensa Julia, il faudrait bien qu'il se marie, s'il voulait donner un héritier à Amberley. Il avait passé la trentaine, après tout.

Comme elle, Silas avait grandi sans son père. Celui-ci était décédé en mer alors qu'il n'avait que quelques mois. Elle secoua la tête. Elle refusait de penser au petit garçon vulnérable qu'il avait été. Un orphelin…

Elle baissa les yeux et se concentra sur les nouvelles chaussures qu'elle portait. Les chaussures avaient toujours été sa plus grande faiblesse… Elle espérait d'ailleurs trouver le temps de se rendre dans une petite boutique dont elle avait entendu parler, et qui vendait des modèles exclusifs très en vogue en ce moment.

Le soleil commençait à décliner. Le couple de stars apparut sur les marches de l'imposant portique de la villa : elle, la tête renversée en arrière pour mettre en valeur l'éclat de son collier, et lui, la regardant avec adoration. Ils offraient une image bien différente de ce que Julia avait vu plus tôt dans la journée… L'actrice avait hurlé, accusant son mari de la tromper. Ce à quoi celui-ci avait répliqué qu'elle était tellement obsédée par sa propre personne qu'il était surpris qu'elle l'ait même remarqué.

A présent, elle penchait sa mince silhouette — obtenue grâce à quelques interventions chirurgicales — vers son époux, qui avait posé une main possessive sur sa hanche.

Julia entendit soudain Lucy, qui se tenait non loin d'elle, pousser un petit soupir triste. La pauvre, songea-t-elle. Mariée à un homme qui n'avait aucun respect pour elle ni pour les serments qu'il avait prononcés… D'ailleurs, où était Nick ?

Elle le chercha du regard et sursauta en entendant Silas demander :

— Tu cherches quelqu'un ?

— Oui… Toi, bien sûr, mon chéri, répondit-elle d'un ton mielleux.

Les photographes s'affairaient autour du couple, éclairé par les derniers rayons du soleil. Les bougies s'illuminèrent progressivement dans le tiède crépuscule méditerranéen.

— Quelle mascarade ! murmura Silas.

— C'est censé être un symbole très romantique, riposta Julia avec humeur.

— Je suis étonné que tu aies réussi à trouver une assurance pour une folie pareille.

— C'est Nick qui s'en est occupé, répondit-elle d'un ton absent. Dis-moi, tu ne pensais pas vraiment ce que tu as dit à Dorland et Lucy ?

— A propos de quoi ?

— Quand tu as dit que tu me suivais. C'est déjà regrettable que tu aies parlé devant Dorland…

— Pourquoi ?

— Mais enfin, Silas ! Dorland est le propriétaire de *La vie de la jet-set* ! Son passe-temps favori est de révéler au public ce que les gens souhaitent garder pour eux.

— Tu veux dire : ce qu'il y a entre Nick Blayne et toi ?

— Il n'y a rien entre nous.

— Blayne ne semble pas de cet avis. Que préférerais-tu, Julia ? Que Dorland annonce que nous sommes ensemble, ou bien qu'il sous-entende que Blayne trompe sa femme avec toi ?

— Ni l'un ni l'autre ! Silas, il faut que tu parles à Dorland et… et que tu lui dises que tu ne veux pas que tout le monde sache que nous sommes ensemble pour l'instant.

— Dans cette assemblée de stars narcissiques entourées de paparazzis, nous devons bien être la dernière de ses préoccupations.

— Chut ! fit-elle en vérifiant que personne ne les avait

entendus. Les affaires de Lucy dépendent de gens comme eux. Donc mon emploi aussi.

Elle perçut l'air moqueur de Silas et se sentit obligée de lui demander :

— Pourquoi fais-tu cela ? Je refuse de croire que tu as l'intention de passer les six prochains mois à me surveiller parce que tu ne veux pas voir Lucy souffrir, ou parce que tu désapprouves les liaisons extraconjugales.

— Tu as donc bien une liaison avec Blayne, alors ?

Julia poussa un profond soupir et lui adressa un regard furieux.

— Ça te ressemble bien de déformer mes propos pour te donner raison. Non, je n'ai pas de liaison avec Nick.

— D'accord, peut-être que le terme de liaison est excessif. Tu as couché avec lui et tu as envie de recommencer : ça te convient mieux ?

— Non ! Au cas où tu l'aurais oublié, Silas, j'ai vingt-six ans, pas seize.

— Ce qui veut dire ?

— Ce qui veut dire que je suis assez grande pour avoir perdu mes illusions sur ce qu'est vraiment le sexe. A seize ans, on peut croire que le sexe va vous transporter vers des mondes merveilleux. On cherche alors le partenaire qui saura nous faire vivre cette expérience transcendantale. Mais à vingt-six ans, on connaît la vérité.

— Et quelle est cette vérité ?

— Que ce n'est qu'un fantasme d'adolescente, répondit-elle avec un haussement d'épaules. La satisfaction sexuelle ne mène à aucun paradis. Cela ne vaut en tout cas pas la peine de trahir une amitié comme celle que je partage avec Lucy. Je ne dis pas que le sexe est une chose désagréable, mais comparé à ce que les jeunes filles imaginent, la réalité est plutôt décevante.

— C'est une théorie intéressante, mais je ne pense pas que la majorité des femmes la partagent.

— Tu serais surpris ! De plus en plus de femmes qui ont la trentaine et sont en couple disent que le sexe ne les intéresse plus.

— La plupart des invités à cette soirée ne sont pas de ton avis.

— La plupart sont sous l'emprise de l'alcool ou de la drogue, ou des deux.

— Et toi, tu ne cèdes pas à ce genre de tentations ?

— J'ai trop souvent constaté ce que cela pouvait faire. J'apprécie un verre de vin avec un bon repas, et une coupe de champagne de temps en temps, mais c'est tout. De toute façon, je suis ici pour travailler.

Les premiers feux d'artifice explosèrent au-dessus de leurs têtes dans un bouquet d'étoiles étincelantes.

— D'après Lucy, tu pars en Italie demain ? demanda Silas.

— Oui, je prends l'avion pour Naples, puis je vais à Positano. Mais Silas, ce n'est pas la peine que tu viennes avec moi. Lucy a certainement été rassurée de nous voir ensemble et elle en a peut-être déjà parlé à Nick. Nous avons obtenu le résultat espéré, pas la peine d'en faire plus.

Un autre feu d'artifice éclata et fit sursauter Julia, qui recula instinctivement d'un pas. Silas, qui se tenait derrière elle, passa un bras autour de sa taille pour la retenir.

Elle leva les yeux vers lui, et il lui rendit son regard. Un frisson la parcourut alors. Elle sentait la chaleur du bras de Silas et l'odeur de sa peau, chaude, virile, qui l'attirait malgré elle contre lui pour mieux le respirer. Son cœur se mit à battre plus fort dans sa poitrine. Comment se faisait-il qu'elle n'ait encore jamais remarqué combien la bouche de Silas était sensuelle ? Elle dut réfréner son envie d'en tracer le contour du bout du doigt.

— Blayne nous regarde.

— Comment ?

Il fallut plusieurs secondes pour que la phrase de Silas atteigne son cerveau. Mais pourquoi la tenait-il toujours ? Pourquoi penchait-il maintenant la tête tout en l'attirant à lui, une main dans le creux de son dos, l'autre sur sa nuque, tandis que les lèvres qu'elle avait tant admirées effleuraient les siennes ?

La tentation était trop grande pour qu'elle y résiste. La bouche de Silas était à elle. Doucement, prudemment, elle passa le bout de sa langue sur ses lèvres, fraîches, douces et fermes. Une cascade de petits frissons déferla dans son dos. Prise d'un désir soudain, elle se rapprocha encore, et poussa un petit gémissement plaintif. Mais soudain, Silas s'écarta.

— Si tu as fait ça pour Blayne, dit-il d'une voix un peu rauque, alors…

— Comment ? balbutia-t-elle. Pour qui ?

Julia se rendit compte qu'elle avait totalement oublié Nick. Mais il n'était pas question de l'avouer à Silas et de trahir ainsi son trouble.

— Je ne vois pas pourquoi tu prends un ton aussi désapprobateur, dit-elle d'un ton léger. Tout ceci était ton idée, après tout ! D'ailleurs je me demande pourquoi tu tiens autant à protéger Lucy… Tu ne fais pas vraiment ça pour elle, n'est-ce pas ? Mais alors pourquoi ? Ne serais-tu pas en train de m'utiliser pour…

Elle s'interrompit un instant. Oui, elle en était certaine à présent : il y avait une histoire de femme derrière tout ça.

— A quoi ressemble-t-elle, Silas ? Et pourquoi tout ce cinéma pour te débarrasser d'elle ?

— Qu'est-ce qui te fait croire ça ?

— Quelle autre raison y aurait-il ? J'avoue cependant qu'il m'est difficile de croire que tu aies du mal à te débarrasser des choses ou des personnes qui ne t'intéressent plus.

— Je te remercie, rétorqua Silas d'un ton narquois.

— C'est bizarre, je pensais que tu cherchais à t'engager… Peut-être n'était-elle pas assez bien pour devenir comtesse et mère du prochain héritier d'Amberley ?

— Ma parole, on dirait que tu es jalouse !

— Quoi ? Oh non, je n'envie vraiment pas tes conquêtes !

— Je voulais dire que tu étais jalouse parce que c'est moi qui vais hériter d'Amberley.

Julia se sentit rougir. Si elle continuait à se conduire ainsi, Silas n'allait-il pas penser qu'elle était secrètement amoureuse de lui ? Et ce n'était vraiment pas le cas.

— C'est absurde, répondit Julia. J'ai toujours su que tu hériterais d'Amberley.

— Et tu m'en as toujours voulu.

— Non, ce n'est pas vrai.

— Menteuse ! Même quand tu étais petite, tu faisais tout ton possible pour me faire comprendre que je n'étais qu'un étranger.

— Ce n'était pas à cause de l'héritage.

— Non ?

— Non ! Quand j'avais six ans, ma mère m'a dit que si grand-père mourait, elle et moi devrions vivre ailleurs car Amberley t'appartiendrait. Elle avait juste voulu m'expliquer la situation mais, pendant longtemps, j'ai eu peur que grand-père ne meure pendant que j'étais à l'école. Ma mère a fait de son mieux, mais j'ai parfois souffert de ne pas avoir de père.

— Je vois de quoi tu veux parler.

— Ni toi ni moi n'avons eu beaucoup de chance dans ce

domaine, n'est-ce pas ? Je ne sais pas ce qui est le pire : un père décédé ou un père vivant qui ne veut pas de son enfant...

Sa voix s'était mise à trembler, malgré elle, et ses yeux s'étaient embués de larmes. Elle avait pourtant cessé de s'apitoyer sur son sort depuis des années. Mais elle voulait encore moins de la pitié de Silas.

Julia s'écarta de lui. Avec surprise, elle constata que son corps regrettait aussitôt la chaleur de ce contact.

— Je ferais bien d'aller vérifier que les bougies sont toutes installées correctement. Je suis ici pour travailler, ajouta-t-elle pour se justifier.

— Travailler ?

— Mon travail peut te paraître inutile et superficiel, et je sais que certains m'envient parce qu'ils pensent que je passe mon temps à faire la fête avec des stars, mais ce n'est pas si simple. Lucy a travaillé très dur pour monter cette société, et elle compte sur moi pour me montrer aussi professionnelle que possible.

— En échangeant des banalités avec des vieux riches et leurs jeunes épouses à la beauté artificielle ?

— Tu es injuste. L'événementiel est un marché très porteur. Ne me dis pas que tu n'as jamais fait appel à ce genre de services, je ne te croirais pas.

Une partie des milliards de dollars que la famille maternelle de Silas avait gagnés grâce au pétrole avait en effet été utilisée pour créer une fondation d'œuvres de charité, que ce dernier dirigeait à présent.

— Oui, bien sûr, nous avons organisé plusieurs dîners au Metropolitan. En général, c'est ma mère qui s'en occupe, puisqu'elle est à la tête de notre comité de collecte de fonds. D'ailleurs, elle aurait été heureuse de te donner un poste, tu le sais.

Julia ne fit aucun commentaire. Comme tout le monde, elle

était un peu impressionnée par la mère de Silas, une femme charmante mais terriblement efficace qui réussissait tout ce qu'elle entreprenait.

— Lucy m'avait déjà fait sa proposition, je ne pouvais pas la laisser tomber.

— Par contre, tu pouvais laisser son mari te faire des avances ?

— Nick et Lucy traversent une mauvaise passe...

— Et le fait que Blayne couche avec toi va leur permettre de reconstruire leur mariage ?

Julia ne prit pas la peine de répondre et préféra s'éloigner pour aller vérifier la disposition des bougies. Cependant, les paroles de Silas lui restèrent à l'esprit. Elle avait beaucoup envié Lucy quand elle avait épousé Nick, tout en s'assurant que personne ne pouvait deviner ce qu'elle ressentait. Mais récemment, elle avait commencé à voir Nick sous un nouveau jour, et elle éprouvait maintenant de la compassion pour son amie.

En fait, elle n'avait eu aucun mal à résister aux avances de Nick, assorties de plaintes sur son mariage. Il n'hésitait pas à vanter ses talents d'amant accompli, à lui parler du plaisir qu'il pourrait lui donner, mais son intuition lui disait qu'il ne valait sûrement pas Silas dans ce domaine...

Elle se sentit rougir, honteuse de la tournure que ses pensées avaient prise. Les compétences d'amant de Silas ne la regardaient pas. De toute façon, il n'avait jamais montré aucun désir physique pour elle. Jusqu'à ce soir... Enfin, pour être honnête, il n'avait pas montré beaucoup de passion en effleurant ses lèvres tout à l'heure. Elle, en revanche... Mais il valait mieux ne plus y penser.

Elle sursauta en voyant Nick se matérialiser à son côté.

— Je t'ai manqué ? demanda-t-il.

— Tu t'étais absenté ? Je ne m'en étais pas aperçue. Mais je suis sûre que Lucy doit se demander où tu es passé.

— Eh bien, demain matin si tu veux, tu pourras lui dire que j'ai passé la nuit dans ton lit.

Pour lui bloquer le passage, il avait posé une main sur la colonne de marbre derrière elle.

— Je t'ai déjà dit que je n'étais pas intéressée, Nick.

— Allons, je sais que si. Tu te conduis comme une petite allumeuse depuis que je t'ai quittée pour Lucy.

Il lui souriait comme si ces mots étaient un compliment. Julia se sentait à la fois furieuse contre lui et navrée pour Lucy.

— Vraiment ? Il faut que j'en parle à Silas.

Nick retira instantanément sa main de la colonne.

— Silas ? Tu veux dire que vous couchez ensemble ?

— Nous sommes amants, en effet, prétendit-elle.

Mais qu'avait-elle bien pu trouver d'attirant chez Nick ? se demanda-t-elle. La seule façon de parler de cet homme montrait son mépris pour les femmes.

— Pourquoi ? demanda-t-il.

— Parce qu'il est sexy, que j'ai envie de lui et que…

— Non, pourquoi est-ce que *lui* aurait envie de toi ? Avec sa fortune, il peut avoir n'importe qui.

— Eh bien cette « n'importe qui », c'est moi. Et le seul homme dont j'ai envie, c'est lui. Toi, Nick, tu es marié à Lucy. Elle est mon amie et…

Nick saisit soudain ses avant-bras et la plaqua contre la colonne dans un geste si violent qu'elle faillit se cogner la tête contre la pierre.

— Tu es sûre que tu n'en as pas envie ? Moi je crois que si. Je crois que tu en meurs d'envie. Et je crois que je devrais te satisfaire là, maintenant, tout de suite. Tu me le dois bien, Julia, et j'ai l'intention de me servir, d'une manière ou d'une autre.

Tout à coup, Julia n'était plus seulement écœurée et en colère, elle avait surtout peur. La voix de Nick avait une tonalité affreuse, un mélange de convoitise et de mépris. Instinctivement, elle se débattit pour se libérer. Sa robe se déchira car il ne la lâchait pas. Refusant à tout prix de céder, même s'il lui faisait mal, elle lui asséna un coup de pied dans le tibia qui le fit crier de douleur. Elle en profita pour se dégager. Elle le repoussa et partit en courant vers le bâtiment, tandis qu'il la traitait de tous les noms. Elle n'osa même pas se retourner pour voir s'il la suivait.

Elle tremblait encore quinze minutes plus tard, enfermée dans les toilettes des dames, en retirant sa robe déchirée pour remettre le jean et le T-shirt qu'elle avait rangés dans un sac, après les préparatifs de la journée.

Elle aurait des hématomes le lendemain après l'agression de Nick. Agression : ce mot la répugnait, mais c'était pourtant bien ce qui s'était produit. L'aurait-il violée si elle n'avait pas réussi à s'échapper ? Elle n'était pas naïve, elle savait qu'il existait des histoires sordides dans les coulisses de la vie luxueuse de la jet-set, mais elle n'avait encore jamais été directement touchée. Elle avait toujours mis un point d'honneur à garder des relations purement professionnelles avec ces gens. La vie débauchée de certains de leurs clients ne l'attirait pas du tout.

Mais elle n'avait pas réalisé combien Nick pouvait être dangereux. Frissonnant au souvenir de ses paroles et de la peur qu'elle avait ressentie, elle se dit que la présence de Silas jusqu'à la fin de l'été serait finalement plus rassurante qu'encombrante. Mais jamais elle ne le lui avouerait !

Comme toute l'équipe de traiteurs, de serveurs et de techniciens, elle logeait dans un petit hôtel bon marché de Majorque. Elle avait pensé rentrer en voiture à l'hôtel avec Lucy et Nick, mais cela était maintenant hors de question. Il lui faudrait donc demander à quelqu'un d'autre de la ramener.

— Julia, tu as vu Nick ? demanda Lucy en arrivant vers elle en courant.

— Pas depuis un moment.

— Alors il doit encore être avec Alexina Matalos, soupira-t-elle. Elle veut que nous lui établissions un devis pour organiser les cinquante ans de son mari. Ah ! et Silas te cherchait… Julia, je suis tellement heureuse pour vous deux !

— Pas autant que moi, dit une voix profonde.

— Oh, Silas ! Eh bien, la voilà, dit Lucy en riant.

— Où est passée ta robe ? demanda Silas à Julia.

— Je me suis changée. C'était plus pratique pour les bougies.

— Tu en as encore pour longtemps ici ?

— J'ai presque fini, mais tu n'as pas besoin de m'attendre, Sil… mon chéri, se reprit-elle en se rappelant la présence de Lucy.

— Comment comptes-tu rentrer ?

— Oh, je demanderai à un des fournisseurs de me raccompagner.

— Très bien, je viens avec toi.

Julia savait qu'ils étaient censés former un couple, mais n'allait-il pas un peu trop loin ? Surtout qu'il devrait ensuite retourner là où il séjournait, c'est-à-dire probablement dans le même hôtel de luxe que Dorland, à Palma.

— Bien, maintenant que vous vous êtes retrouvés, je ferais bien d'aller chercher Nick, annonça Lucy.

— Tu n'as vraiment pas besoin de m'accompagner à l'hôtel, dit Julia dès que son amie fut partie.

Soudain, elle entendit un des fournisseurs l'interpeller.

— On y va, tu veux venir avec nous ?

— Avez-vous de la place pour deux ? demanda alors Silas.

— Bien sûr !

Silas posa une main sur ses reins et la poussa en avant. Malgré l'autorité et la force qu'elle sentait dans ce contact, elle eut envie de s'y abandonner plutôt que de résister. Au lieu d'avancer, elle aurait aimé se tourner et se rapprocher de lui.

Pourquoi ? Pour voir encore ses lèvres ? Pour les goûter ? Non, c'était ridicule, se répéta-t-elle en essayant d'ignorer les signaux sans équivoque que lui envoyait son corps.

Depuis quand aimait-elle jouer à ce jeu dangereux de la séduction ?

3.

— *Hola, señor !* Voici votre clé, dit le réceptionniste derrière le comptoir.

« Sa » clé ? s'étonna Julia.

— Mais tu ne vas pas dormir ici ! protesta-t-elle.

Silas n'était pas du genre à dormir ailleurs que dans un cinq étoiles. Elle était quasiment sûre qu'il n'avait encore jamais mis les pieds dans un établissement aussi modeste.

— Si. Je nous ai réservé une suite et j'ai demandé qu'on y transfère tes affaires. Ainsi, Blayne ne se fera pas de fausses idées sur notre relation… Quelque chose ne va pas ?

— As-tu vraiment besoin de le demander ? l'interrogea-t-elle dès qu'elle eut recouvré son souffle. Silas, il n'est pas question que je dorme avec toi.

— Nous en discuterons dans notre suite, tu veux bien ? dit-il d'une voix douce qui dissimulait à peine sa fermeté. A moins, bien sûr, que tu aies envie que tout le personnel de l'hôtel nous entende nous disputer à ce sujet ?

Furieuse, Julia n'eut pas d'autre choix que de le suivre jusqu'à l'ascenseur.

— Je suppose que cette fameuse suite est au dernier étage, maugréa-t-elle tandis que la cabine commençait à monter.

— J'imagine que oui, car la *señora* Bonita m'a assuré qu'on voyait la mer par la fenêtre.

Son visage avait une expression si neutre qu'elle dut y regarder à deux fois pour apercevoir un léger tremblement au coin de ses lèvres.

— Et tu l'as crue ? La mer est à des kilomètres.

— La *señora* Bonita a certainement pensé que nous serions trop occupés à nous dévorer des yeux pour nous soucier de la véracité de sa description.

— Cet ascenseur avance moins vite qu'un escargot. J'espère qu'il ne va pas tomber en panne, gémit-elle en se concentrant sur la porte pour éviter de croiser le regard de Silas.

— « Une lente montée vers le paradis », selon les paroles poétiques de notre hôtesse.

— Menteur, tu viens de l'inventer, l'accusa-t-elle.

Il haussa les épaules.

— Silas, pourquoi fais-tu tout ça ?

L'ascenseur eut alors une secousse brutale et redescendit légèrement, ce qui fit perdre l'équilibre à Julia, qui tomba sur Silas. Il referma immédiatement ses bras autour d'elle pour la stabiliser et la relâcha aussitôt.

— Il y a un problème ? demanda-t-il.

Elle le toisa d'un air furieux. Que sous-entendait-il ?

— Cet ascenseur n'est pas sûr, c'est tout.

Silas vit les émotions se succéder sur le visage de Julia. Il n'avait jamais vu des yeux aussi expressifs que les siens, et ils lui disaient exactement ce qu'elle pensait en ce moment. Heureusement que lui-même était davantage habitué à dissimuler, sinon elle aurait deviné ce qu'il avait failli faire quand il l'avait tenue dans ses bras.

C'était une remarque du grand-père de Julia qui l'avait conduit à Majorque. Celui-ci s'inquiétait en effet pour sa petite-fille. Ironie du sort, c'était grâce à Nick Blayne qu'il avait enfin réussi à se rapprocher d'elle intimement, même si cette intimité n'était pour l'instant que fictive…

— Silas, tu n'as tout de même pas l'intention d'épouser Julia ? avait protesté sa mère huit ans plus tôt, le soir où ils assistaient au dix-huitième anniversaire de la jeune femme.

— Tu désapprouves mon projet ?

— Aimes-tu Julia ?

— L'amour n'est qu'une émotion passagère, on ne devrait pas baser une relation durable là-dessus. Cela fait un moment que je me dis que Julia serait une épouse parfaite pour moi, quand elle aura un peu mûri.

— Silas…, avait murmuré sa mère.

— Ma décision est prise. Après tout, qui mieux qu'elle pourrait remplir ce rôle ? Elle sait exactement les devoirs qu'implique le titre de comtesse et comment tenir un domaine comme Amberley. Cela fera plaisir à son grand-père et réglera tous les problèmes de succession. D'un point de vue pratique, notre mariage ne présente que des avantages. Elle est trop jeune pour l'instant, bien sûr. Mais je ne veux pas attendre trop.

— Des avantages ? Silas, tu parles du mariage comme… comme d'un contrat.

— Non, mère, je suis raisonnable, c'est tout. Je dois penser à l'avenir d'Amberley et à celui de la Fondation. Je ne veux pas d'une femme qui risquerait de changer d'avis et de demander le divorce. Julia est née dans une longue tradition de mariages arrangés, elle comprend ce genre de choses.

— Vraiment ? Je suis prête à parier qu'elle refusera, Silas. Julia est une jeune femme passionnée, pleine de vie. Et puis, un mariage arrangé, c'est tellement archaïque !

— Cela a très bien fonctionné pendant des siècles.

— Parfois, tu ressembles plus à ces austères administrateurs qui t'ont élevé qu'à un jeune homme de vingt-cinq ans, avait soupiré sa mère. Ne te rends-tu pas compte que tu te priverais ainsi d'une vie amoureuse ?

— Mère, l'amour n'est qu'une illusion, ou plutôt une désillusion. Un mariage basé sur la compréhension mutuelle et des objectifs communs a bien plus de chances de réussir.

— Je doute que Julia soit de ton avis. Regarde-la !

Silas l'avait cherchée du regard. Elle dansait, et il ne voyait derrière l'épaule de son cavalier que ses cheveux courts aux mèches brunes et roses.

— Helen m'a dit qu'elle était rentrée du lycée avec un piercing au nombril et qu'elle parlait de se faire faire un tatouage... Pas n'importe lequel, le blason de la famille, s'il vous plaît ! avait ajouté sa mère d'un ton scandalisé.

C'était l'année où Julia était tombée folle amoureuse du chef d'un groupe local de protection des animaux, se souvint Silas. Leur histoire n'avait pas duré, mais elle avait eu des conséquences pour Amberley. Ce groupe, mené par Julia et son ami, avait défié le garde-chasse de son grand-père et « libéré » les jeunes faisans qu'il élevait, si bien qu'on ne pouvait plus se promener sur les terres du domaine sans y croiser un faisan sauvage...

C'était également « grâce » à cette idylle que cinq lévriers que Julia avait « sauvés » vivaient à présent une vie de luxe aux côtés de son grand-père, qui s'était pris d'affection pour eux.

Mais aujourd'hui, Julia n'avait plus dix-huit ans. Il avait donc décidé qu'il était temps pour lui de mettre son projet en application. De plus, la santé du comte d'Amberley était de plus en plus fragile. Or Silas l'aimait beaucoup, et il savait qu'il serait heureux de voir sa petite-fille mariée à son héritier. Le vieil homme était quelqu'un de pragmatique, il comprendrait que l'union des deux branches restantes de la famille assurerait l'avenir d'Amberley.

L'ascenseur s'immobilisa enfin dans un grand bruit.

Julia en sortit avec soulagement. Elle hésita alors entre un sentiment de consternation et de triomphe en découvrant que la « suite nuptiale » se trouvait en réalité sous les combles.

Silas enfonça la clé dans la serrure et ouvrit la lourde porte. La suite consistait en un petit salon et une chambre. Au milieu de celle-ci trônait un immense lit.

— Apparemment, il y a deux salles de bains, informa Silas. Et le canapé du salon est convertible en lit double.

— Je suppose que c'est là que tu comptes me faire dormir ?

— Non, tu peux prendre le lit. Après tout, ce n'est pas moi qui ai du mal à me lever le matin, n'est-ce pas ?

Julia devait admettre qu'elle n'était pas une lève-tôt. Silas devait se souvenir de ses interminables grasses matinées quand elle était en vacances à Amberley.

— De quel côté du lit préfères-tu dormir ?

Julia lui lança un regard soupçonneux.

— Si j'ai le lit pour moi toute seule, cela n'a pas d'importance, n'est-ce pas ?

Silas poussa un soupir.

— Julia, cela nous aiderait si tu cessais de voir une connotation sexuelle dans tout ce que je dis. Je te pose cette question pour savoir quelle salle de bains tu préférerais prendre. Si tu dors à gauche du lit, et que tu as besoin d'aller à la salle de bains pendant la nuit, tu utiliseras probablement celle de gauche. Par contre, si tu...

— Ça va, ça va, j'ai compris ! Pourquoi ne l'as-tu pas simplement dit ?

— Pourquoi n'as-tu pas simplement répondu à ma question ?

— Ça ne va jamais marcher, dit-elle en passant une main nerveuse dans ses cheveux.

— Ça ne marchera pas si tu ne le veux pas. Il faut que chacun y mette du sien.

Après l'épisode de tout à l'heure avec Nick, Julia s'inquiétait pour Lucy. Elle se demandait à présent si elle rendait service à son amie en essayant de préserver leur mariage.

— Je ne veux pas faire de mal à Lucy, avoua-t-elle. Mais si elle non plus n'est pas heureuse dans son couple, alors…

— T'a-t-elle dit qu'elle était malheureuse, ou bien est-ce la version de Blayne ?

— Je n'en ai pas parlé avec Lucy mais…

— Mais tu en as parlé avec son mari ?

Il était en colère contre elle, à présent, elle le sentait à l'inflexion dure de sa voix.

— Nous ne sommes plus au XIXe siècle, Silas. De nos jours, une femme peut discuter avec le mari de son amie ou avoir des amis masculins.

— Mais Blayne ne veut pas de ton amitié, si je ne me trompe pas.

Julia se sentait fatiguée. La douleur lancinante qu'elle ressentait derrière les yeux devenait de plus en plus insistante. Tout ce dont elle avait envie, c'était d'un bain chaud et d'aller se coucher. Surtout pas de se disputer avec Silas.

— Veux-tu arrêter de me faire la leçon ? Je suis sûre que tu n'agis pas par pur altruisme, n'est-ce pas ?

— Comment cela ?

Il avait l'air si calme que c'en était inquiétant.

— Tu ne peux pas être ici juste pour protéger grand-père d'un scandale. Il doit y avoir autre chose.

— Par exemple… ?

— Cette femme dont tu ne veux plus, peut-être ? Celle que tu as été content de mettre dans ton lit, mais avec qui tu ne veux pas t'engager sérieusement ?

— Comme Blayne avec toi, tu veux dire ?

— Si tu veux te mettre dans la même catégorie que Nick…, dit-elle en haussant les épaules.

En prononçant ces mots, Julia se doutait qu'il n'allait pas apprécier sa réflexion, mais elle n'avait pas réalisé à quel point. Quand il fit un pas vers elle, elle recula spontanément et croisa ses bras devant elle, comme pour se protéger.

Elle n'arrivait pas à déchiffrer l'expression du regard de Silas. Sans qu'elle comprenne ce qui lui arrivait, des larmes lui montèrent aux yeux.

— Je ne comprends pas ce que tu fabriques à Majorque, explosa-t-elle, épuisée. Je suppose que ça a quelque chose à voir avec la Fondation ?

Plusieurs secondes s'écoulèrent avant que Silas ne réponde :

— Oui.

— Une nouvelle acquisition, sans doute ?

— D'une certaine façon, oui. Enfin, celle-ci est très spéciale. Unique, même.

— Et cela vaut la peine de jouer cette mascarade avec moi ?

— Oh oui ! confirma-t-il doucement. Alors, quel côté du lit ?

— Le gauche. Non, le droit... Je m'en moque, vraiment. Toi, quel côté préfères-tu ? demanda-t-elle avant de devenir écarlate. Non, ce n'est pas ce que je voulais dire. Quelle salle de bains préfères-tu ?

Comme il continuait à la regarder fixement, elle se mordit la lèvre et lui dit brusquement :

— Je devine ce que tu penses, Silas, mais je n'ai pas envie de coucher avec toi.

Il haussa un sourcil amusé et charmeur à la fois.

— Je ne me souviens pas te l'avoir proposé. Mais, si je le faisais, pourquoi refuserais-tu ?

— Pourquoi ? répéta-t-elle, outrée. N'est-ce pas évident ? Nous ne sommes rien l'un pour l'autre. Nous ne nous apprécions pas, nous n'éprouvons aucun désir l'un pour l'autre. Et même si c'était le cas… Eh bien, ce serait trop… Le sexe implique… des responsabilités, et puis c'est…

Elle s'enlisait dans ses explications et elle le savait. Avant qu'elle ne s'enfonce davantage, Silas intervint :

— Tu sais, Julia, tu parles plus comme une vierge frustrée que comme la jeune femme moderne et expérimentée que tu es réellement.

— Eh bien, je ne le suis pas. Vierge, je veux dire.

— Alors pourquoi toute cette comédie ?

Pourquoi, en effet ? Elle ne pouvait répondre à cette question sans regarder certaines réalités en face, ce qu'elle ne voulait en aucun cas admettre devant Silas.

Il était bien plus facile de se réfugier dans une fausse insouciance…

— J'avais peut-être peur que mon expérience ne souffre pas la comparaison avec la tienne, répliqua-t-elle. Après tout, cette héritière américaine avec qui tu es sorti t'a clairement décrit comme un véritable étalon… Elle a même mis cette vidéo de vous deux sur son site Internet pour le prouver.

— Tu as regardé ça ?

— Non ! J'ai lu un article à ce sujet, dans un journal.

— C'était il y a trois ans, et on ne voyait aucun visage, l'homme pouvait donc être n'importe qui. Mais je suis surpris. J'imaginais que tu aurais sauté sur l'occasion pour vérifier ma prétendue expertise.

Et maintenant, qu'était-elle censée répondre ?

— Je n'ai pas besoin de regarder ce genre de documentaire, dit-elle d'un ton moqueur. Je dispose de beaucoup mieux : nous avons un client qui organise, entre autres, des formations sur le thème « Apprendre à aimer son orgasme ».

— Apprendre à quoi ? s'exclama Silas.

— Tu m'as très bien comprise. Je suppose que cela veut dire qu'on… qu'on apprend à accepter de… de lâcher prise…

— Oh, je vois, dit Silas, sans parvenir à dissimuler son envie de rire.

— Ce n'est pas drôle, protesta Julia.

Mais elle ne tint que quelques secondes avant d'éclater de rire.

C'était toujours ainsi avec Silas, songea-t-elle plus tard, tandis qu'elle rêvassait dans un grand bain chaud, rassurée par le fait que la porte de la salle de bains était fermée à clé. Il pouvait l'exaspérer au plus haut point, et l'instant d'après, réussir à la faire rire. Ils avaient vraiment le même sens de l'humour.

Ce n'était pas comme avec Nick. Nick ne l'avait jamais fait rire. Son sens de l'humour se limitait à des réflexions cruelles sur les autres.

Nick. Elle regarda ses bras où des hématomes commençaient à apparaître sur sa peau.

4.

Julia s'étira voluptueusement sous les draps. Elle avait été tirée de son sommeil par une délicieuse odeur de café et par des voix. L'une d'elles lui était familière. Silas, réalisa-t-elle, en se remémorant tout à coup où elle se trouvait. Elle ouvrit les yeux et regarda la double porte de sa chambre, ouverte sur le salon.

— Tu es déjà réveillée ?

Silas apparut dans l'encadrement de la porte, les jambes nues sous un peignoir, une tasse de café à la main. Elle se mit à saliver… Du café ! Parfois, il lui semblait qu'elle aurait pu être heureuse simplement avec de la caféine et des chaussures… D'ailleurs, ce matin, elle irait dans cette boutique dont elle avait entendu parler le jour de son arrivée et dont elle rêvait depuis.

— Si tu veux prendre une douche et t'habiller, ne te gêne pas pour moi, déclara-t-elle.

— J'avais oublié combien tu pouvais être ronchonne au réveil, répondit-il en riant. Lève-toi et viens admirer la vue.

— Tu ne devrais pas t'habiller un peu ?

— Pourquoi donc ?

Pour sa tranquillité d'esprit ! Il était très troublant de voir Silas déambuler devant elle dans ce peignoir trop petit et trop court, qui exposait une grande partie de son torse bronzé ainsi que la virilité puissante de ses cuisses.

Le frisson familier qui la parcourait maintenant, et qu'elle avait jusqu'alors mis sur le compte de la nervosité, s'était mystérieusement transformé en une excitation brûlante. Sous les draps, la pointe de ses seins se durcissaient.

Mais comment pouvait-elle éprouver du désir pour Silas ? Certes, il y avait un bon moment qu'elle n'avait pas eu de rapports sexuels ou qu'elle ne s'était pas réveillée avec un homme à moitié nu devant elle, mais cet homme était Silas, bon sang ! Silas, qui avait éclaté de rire le jour où elle s'était habillée pour son premier rendez-vous amoureux. Silas, qui avait menacé de « lui donner une correction à faire bleuir ses fesses » quand elle avait rendu leur liberté aux faisans du garde-chasse d'Amberley. Silas, qui avait proféré des menaces encore plus violentes le jour où il avait trouvé sa chemise préférée déchiquetée par les lévriers...

— J'ai pensé que tu préférerais prendre ton petit déjeuner ici, alors je t'ai commandé du café et du jus d'orange. Et je me suis souvenu que tu préfères les œufs à la coque.

Il lui fallait du café. C'était pour cela que ça n'allait pas, se dit-elle fébrilement. Elle était en manque de caféine. Elle avait lu que cela pouvait avoir des effets étranges sur l'organisme.

— Tu es sûr que tu as mis le bon peignoir ? Il n'a pas vraiment l'air à ta taille.

— Eh bien, si le tien est trop grand, nous ferons l'échange. Mais si tu ne sors pas de ce lit, nous ne le saurons jamais !

— Je ne peux pas sortir tant que tu es là.

— Non ? Pourquoi cela ? Tu as peur de l'effet que ton pyjama Mickey pourrait avoir sur moi ?

— C'était quand j'avais dix ans ! protesta-t-elle.

— Tu avais aussi une bouillotte en forme de nounours...

La dernière fois que je suis allé voir ton grand-père, elle était toujours là.

Julia se maudit de s'être couchée nue la veille. Silas aurait mérité qu'elle sorte ainsi du lit, comme si de rien n'était. Il verrait bien qu'elle avait passé l'âge des pyjamas Mickey !

Après tout, plusieurs hommes l'avaient déjà vue nue, même si elle ne se souvenait pas avoir ressenti pour eux un désir tel que celui qu'elle éprouvait actuellement pour Silas.

— Ton petit déjeuner va refroidir, ajouta-t-il.

Elle, en revanche, sentait la température de son corps monter… Elle secoua la tête pour effacer les images qui commençaient à naître dans son esprit et sortit du lit précipitamment, oubliant complètement sa nudité.

— Qu'est-il arrivé au tatouage ?

Elle prit soin de ne pas se retourner, et ne tourna que la tête pour jeter à Silas un regard par-dessus son épaule, sur le seuil de la salle de bains.

— Quel tatouage ? demanda-t-elle.

— Le blason de la famille. Ma mère m'avait dit que tu te l'étais fait tatouer sur la fesse.

— C'est vrai, je l'ai fait, par défi. Mais ce n'était pas un tatouage permanent. Tu voulais savoir autre chose ?

— Non, pas pour l'instant. Tu sais que le fait qu'une femme ne bronze pas seins nus est très révélateur pour un homme ?

— Tu n'as jamais entendu parler des dangers du soleil ? Si j'ai envie d'un bronzage intégral, je peux utiliser de l'auto-bronzant.

— Crois-moi, ces jolis petits triangles de peau blanche sont beaucoup plus charmants. N'importe quel homme serait ravi de savoir que ce qu'il voit n'a pas été montré au reste du monde.

Il fit une légère pause avant de continuer.

— J'avais oublié combien tu étais petite sans ces chaussures à talons ridiculement hauts dont tu ne sembles pas pouvoir te passer.

— Petite ? répéta-t-elle en se tournant vers lui, piquée au vif. Je mesure un mètre soixante-cinq.

— C'est ce que je dis.

— Eh bien, moi, je n'ai pas oublié combien tu es arrogant et suffisant, lâcha-t-elle avant de disparaître dans la salle de bains, en fermant le verrou derrière elle.

Elle tremblait encore, de rage et de frustration. Comment avait-elle pu oublier la facilité avec laquelle Silas la faisait sortir de ses gonds, avec son air de croire qu'il avait toujours raison ?

Comment pouvait-il être aussi insensible, aussi invulnérable ? Le fait était que Silas n'avait jamais souffert. Mais si sa richesse et sa position l'avaient protégé de tout souci matériel, c'était à sa nature qu'il devait sa maîtrise de soi et de ses sentiments. Personne n'avait jamais réussi à le contredire ni à l'amener à se remettre en question. Même le grand-père de Julia le traitait avec respect et considération.

Mais pas elle ! Que ne donnerait-elle pas pour voir un jour Silas découvrir ce qu'être humain signifiait ! songeait-elle, furieuse, en se douchant et se séchant.

Elle attrapa le peignoir accroché à la porte. Il était beaucoup trop grand pour elle, mais exactement de la même taille que celui de Silas.

Elle trouva celui-ci debout près de la fenêtre ouverte du salon.

— Il y a un balcon, mais je doute qu'il soit très solide. Tu veux du café ?

— Je vais me servir, merci.

— Tu devrais d'abord manger tes œufs.

— Je ne mange plus d'œufs.

Ce n'était pas vrai, mais tout était bon pour échapper à son autorité.

— Pas étonnant que tu sois aussi maigre, remarqua-t-il d'un ton désobligeant.

— Je ne suis pas maigre !

— Qu'as-tu de prévu pour aujourd'hui ?

— Pas grand-chose. Notre couple de stars et leurs invités s'en vont cet après-midi. Dorland doit en principe les raccompagner à l'aéroport. Mais cela ne nous concerne pas. Lucy et Nick doivent rentrer en Angleterre ce soir. Quant à moi, comme je te l'ai dit, j'ai réservé un vol pour Naples.

— Tu as donc toute la matinée de libre ?

Julia hésita. Elle n'avait pas l'intention de donner à Silas l'occasion de se moquer d'elle en lui disant qu'elle allait consacrer sa matinée à sa passion pour les chaussures. Même ses amies levaient les yeux au ciel quand elle leur en parlait, et elle s'en sentait secrètement coupable.

— Pas exactement. J'ai quelques courses à faire, je dois passer au pressing, à la banque… Ce genre de choses.

— Parfait, je viens avec toi. Cela me permettra de visiter les vieux quartiers de la ville.

— Non ! s'exclama-t-elle. Tu n'as pas besoin de m'accompagner. Tu vas t'ennuyer. Et puis, j'ai de la paperasse à mettre à jour et des coups de fil à passer.

— Je vois.

Silas fronça les sourcils. Croyait-elle vraiment qu'il n'avait pas compris qu'elle allait voir Blayne ? se demanda-t-il. Quel dommage qu'elle ne soit pas restée à Amberley après ses études, à faire du cheval et à tenir compagnie à son grand-père, le temps qu'elle soit assez adulte pour qu'il l'épouse !

Mais peu importait après tout. Aujourd'hui, Silas était prêt à concrétiser son projet. Et il était certain que Julia était en tout point l'épouse qu'il lui fallait.

Etant américain, Silas n'avait pas l'intention de vivre à plein temps à Amberley. De plus, il avait des responsabilités à assumer au sein de la Fondation. Il ne doutait pas que Julia saurait parfaitement le seconder, surtout avec sa belle-mère pour la guider. Leurs enfants — car ils auraient des enfants — grandiraient dans un environnement serein. Bien sûr, il ne serait pas question de divorce. Il avait déjà décidé qu'après la naissance de leur premier enfant il ferait exécuter le portrait de Julia portant les joyaux du maharadjah, exactement comme son aïeule.

Certes, Silas était conscient que certaines personnes, y compris Julia, n'apprécieraient pas son point de vue froid et pragmatique concernant ce mariage. Un homme qui avait la responsabilité de transmettre des milliards de dollars et un titre aux générations suivantes ne pouvait pourtant pas se permettre de se laisser guider par ses émotions.

Mais à présent, telle une légère anomalie dans un diamant parfait, il y avait ce Nick Blayne… Même si Silas avait profité de la situation et de la loyauté de Julia envers son amie, il n'était pas question que ses plans soient remis en question par un scandale auquel sa future épouse serait mêlée.

Il devait aussi résoudre le problème que lui posait Aimée de Troite, cette riche héritière américaine qui racontait à qui voulait l'entendre qu'elle était folle de lui, alors qu'il ne lui avait jamais donné aucun signe d'encouragement. Ce n'était un secret pour personne, dans la haute société new-yorkaise, que plusieurs membres de cette famille souffraient de troubles psychiques graves, mais Silas en avait plus qu'assez du comportement de cette fille. Il n'était jamais sorti avec elle, mais elle faisait tout pour le faire croire, se présentant par exemple sans invitation aux soirées auxquelles il assistait. Visiblement, elle avait fini par croire qu'ils avaient une véritable relation. Or, si elle l'avait un tant soit peu connu, elle aurait su qu'elle perdait

47

son temps. Silas n'avait pas l'intention de tomber amoureux de qui que ce soit.

L'annonce de ses fiançailles avec Julia devrait ramener Aimée à la raison — si elle ne l'avait pas déjà perdue, songea-t-il sans complaisance.

Julia avait réussi à quitter l'hôtel sans que personne ne lui demande où elle allait. Elle commençait à sentir son cœur battre plus fort tandis qu'elle empruntait la ruelle qui menait à la boutique de chaussures.

Elle s'arrêta pour jeter un regard en arrière. Elle aurait dû se sentir honteuse — ce serait sûrement le cas plus tard —, mais à cet instant elle ne pensait plus qu'aux fameux escarpins qu'elle convoitait. Ils apparurent soudain, dans la vitrine, avec leurs talons à la hauteur parfaite, et une découpe sur le devant qui laissait juste voir la naissance des orteils.

Elle aurait pu passer la journée à les regarder… Mais alors, quelqu'un aurait pu les acheter et elle ne l'aurait pas supporté. En hâte, elle poussa la porte de la boutique.

Une heure plus tard, elle quittait le magasin, deux sacs dans les mains, les yeux brillants et le visage rose de plaisir. Elle avait eu tellement de mal à choisir entre deux modèles qu'elle avait fini par les prendre tous les deux, incapable de résister.

— Nick n'est pas là ? demanda Silas en posant le journal qu'il lisait.

Lucy venait d'arriver dans le patio agréablement ombragé de l'hôtel.

— Non, il est allé en ville faire quelques courses et son portable doit être éteint, je n'arrive pas à le joindre.

Cette information confirma les soupçons de Silas, et il faillit suggérer à Lucy d'essayer le numéro de Julia.

— J'espère qu'il ne va pas tarder, d'ailleurs. Dorland vient de m'appeler, c'est la panique à la villa. Apparemment, le collier de chez Tiffany a été perdu.

— Ne me dites pas que vous êtes surprise ?

Devant l'air intrigué de la jeune femme, il expliqua :

— Martina est connue pour aimer tout ce qui brille, et ce ne serait pas la première fois qu'elle refuse de rendre un bijou qu'on lui a prêté.

— Mais Dorland va devoir rembourser Tiffany, parce que c'est à lui qu'ils l'ont prêté, juridiquement, protesta Lucy, choquée.

— Je doute qu'un ou deux millions fassent un trou dans le compte en banque de Dorland, et je ne serais pas étonné que tout ça soit un coup de publicité. Je suis sûr qu'il a convoqué la presse avant d'appeler la police.

— Silas, vous êtes beaucoup trop cynique.

— Ce n'est pas du cynisme, c'est du bon sens, corrigea-t-il en jetant un œil à sa montre. Julia est partie en ville tout à l'heure, elle ne devrait pas tarder à rentrer. Je vais aller à sa rencontre.

— Julia est en ville ? s'étonna Lucy en fronçant les sourcils. Je croyais qu'elle avait dit hier soir qu'elle passerait la matinée avec vous.

— Elle avait oublié qu'elle devait récupérer des vêtements au pressing.

Ce n'était pas à lui de ménager Lucy, se dit-il, mais la jeune femme semblait si vulnérable. Et puis, cela ne servirait à rien d'éveiller sa méfiance vis-à-vis de Julia.

*
* *

En se dirigeant vers l'hôtel, Julia songeait rêveusement qu'elle ne savait vraiment pas quelle paire de chaussures elle préférait. Elle avait eu un coup de foudre pour les escarpins qu'elle avait d'abord vus dans la vitrine, mais quand la vendeuse lui avait montré l'autre paire, elle avait craqué. Heureusement qu'elle avait eu la grande sagesse d'acheter les deux paires !

— Bonjour Julia !

Elle s'arrêta net à l'endroit où la ruelle donnait sur une petite place. Nick s'était matérialisé devant elle. La place était déserte et tranquille, à part deux hommes âgés assis à la terrasse d'un café.

— Je rentrais à l'hôtel, déclara-t-elle, espérant que si elle faisait comme si rien ne s'était passé la veille, il se sentirait obligé de se conduire décemment.

— Tiens, tiens, murmura Nick, regarde qui voilà…

Consternée, elle vit Silas qui avançait vers eux.

— Voyons s'il apprécie de voir ça, fit Nick avant de la plaquer contre le mur pour l'embrasser avec une passion feinte.

Surprise, Julia se débattit tant qu'elle le put. Lorsque Silas arriva enfin près d'eux, Nick se tourna alors pour faire face à son rival d'un air triomphant, avant de s'éloigner d'un air nonchalant. Elle eut juste le temps de voir l'éclat cruel de son regard.

— Ce n'est pas ce que tu crois, bredouilla-t-elle d'une voix tremblante, à l'intention de Silas qui s'était planté devant elle, la couvrant de son ombre.

Privée de la chaleur du soleil, elle frissonna.

— Te souviens-tu de ce que j'avais menacé de te faire le jour où tu as libéré ces satanés faisans ? demanda Silas d'une voix presque douce.

Julia ne fut pas dupe, elle avait déjà entendu ce ton faussement mielleux et elle savait ce que cela voulait dire.

— Oui, tu avais dit que si je refaisais une bêtise de ce

genre, tu me donnerais une fessée. Mais tu ne pourrais plus me menacer comme ça aujourd'hui. Il est illégal de donner une fessée à un enfant en Angleterre.

— Mais tu n'es plus une enfant, même si tu ne sembles pas toujours capable de raisonner comme une adulte. Tu ne te rends pas compte de ce que tu fais ? Tu dis que tu ne veux pas faire de mal à Lucy, mais tu lui as menti, et à moi aussi, pour pouvoir filer en douce le rejoindre. Que se serait-il passé si c'était elle qui vous avait trouvés contre ce mur, à vous embrasser de manière aussi indécente ?

Il n'y avait plus aucune douceur dans sa voix, constata Julia avec un tressaillement. Mais elle n'avait pas l'intention de se laisser traiter comme une enfant.

— Je n'ai pas filé en douce pour retrouver Nick ! Je venais de tomber sur lui. Il m'a embrassée exprès, parce qu'il t'a aperçu. Il est en colère parce que je lui ai dit que je ne voulais pas coucher avec lui, alors il essaie de me faire du mal et de t'atteindre toi aussi !

Sa voix tremblait un peu, à la fois d'indignation face aux accusations de Silas, mais surtout parce qu'elle était troublée d'imaginer sa main qui lui administrerait une correction coquine tandis qu'elle ferait semblant de se débattre. Elle ne pouvait pas s'empêcher de trouver cette image excitante. Il y avait quelque chose de délicieusement interdit dans cette situation. Elle n'avait pas de tendance masochiste, mais un jeu où elle recevrait quelques fessées érotiques ne serait pas pour lui déplaire, si c'était avec le partenaire approprié. Avec Silas, peut-être ?

Elle sentit qu'elle devenait écarlate, mais la voix de Silas la ramena à la réalité.

— Tu prétends que vous vous êtes rencontrés par hasard, mais quand tu es partie ce matin, il était évident que tu cachais quelque chose.

— Ce n'était pas un rendez-vous secret avec Nick, murmura-t-elle.

— Qu'était-ce alors ?

Elle regarda les sacs qu'elle avait fait tomber à cause de Nick.

— C'est à cause des chaussures, murmura-t-elle d'une voix coupable.

— Des chaussures ? répéta-t-il incrédule. Tu ne voulais pas que je sache que tu allais t'acheter des *chaussures* ?

Elle ne répondit pas. Si Silas ne connaissait pas son comportement pathologique face aux chaussures, elle n'allait pas s'exposer à ses moqueries en le lui révélant.

— Allez viens, nous ferions mieux de rentrer à l'hôtel, dit-il en se penchant pour ramasser les sacs.

Elle essaya spontanément de l'en empêcher, refusant de se séparer de ses précieux achats.

— Julia, je vais porter tes sacs, insista Silas en saisissant le bras de la jeune femme pour l'écarter.

Il appuyait précisément là où Nick lui avait fait mal la veille, et elle ne put retenir un petit cri de douleur.

— Qu'est-ce que… ? Qui t'a fait ça ? demanda-t-il en soulevant un peu la manche de son T-shirt.

— C'est Nick, répondit-elle, sachant pertinemment qu'il était inutile de mentir. Hier soir, il était furieux quand je lui ai dit que toi et moi…

— Et il t'a fait mal ?

Silas fut surpris par le besoin furieux et instinctif qu'il ressentit tout à coup de protéger Julia. Certes, nul homme n'avait le droit de faire du mal à une femme, mais il n'avait pas l'habitude d'éprouver une émotion aussi intense.

Il tourna la tête dans la direction que Nick avait prise.

— Je ne crois pas qu'il voulait me faire mal, Silas, dit Julia en posant une main sur son bras pour l'arrêter.

— N'empêche que tes bras sont couverts de bleus...

Elle éclata de rire.

— Qu'y a-t-il de si drôle ?

— Ça me rappelle le traitement que tu voulais faire subir à mes fesses.

Silas la regarda. Ses lèvres entrouvertes et son visage qui rougissait. Quelque chose dans ses yeux lui disait...

Il posa les sacs et murmura :

— Quelque chose me dit que tu trouves l'idée de cette fessée plutôt excitante.

Julia rit et détourna le regard.

— C'est toi qui n'arrêtes pas de me menacer de ça, dit-elle dans un souffle.

— Mais c'est toi qui n'arrêtes pas de me rappeler que je n'ai pas encore mis ma menace à exécution. Tu me provoques...

— Moi ?

— Oui, ce matin, en me montrant ton joli postérieur.

— Tu m'as dit que j'étais trop maigre, dit-elle avec une moue.

— Je n'ai pas dû regarder d'assez près.

Il se rapprocha d'elle, passa une main dans son dos et descendit jusqu'à ses fesses. Julia se plaqua contre lui, instinctivement.

Ce n'était pas du tout ce qu'il avait prévu, songea Silas en contemplant les yeux fermés et les lèvres entrouvertes de la jeune femme. Il voulait que son premier enfant soit conçu après le mariage, pas avant...

Il inclina la tête et l'embrassa brièvement, feignant de ne pas remarquer sa déception quand elle rouvrit les yeux.

— Nous ferions mieux de rentrer. J'ai vu Lucy à l'hôtel. Apparemment, Dorland a des sueurs froides parce que le collier prêté par Tiffany a disparu.

— Oh non, pauvre Dorland ! Ils l'ont peut-être retrouvé

maintenant. Ça arrive tout le temps. Ces grandes stars sont entourées par tellement de personnes qu'on finit par ne plus savoir qui fait quoi. L'une des assistantes a dû le ranger quelque part.

Julia devait s'avouer qu'elle se sentait de plus en plus attirée par Silas. Cette attirance n'avait-elle pas toujours existé, sans qu'elle ait voulu l'admettre ?

— Ah, vous voilà ! Nick est parti à la villa pour voir s'il peut aider Dorland, expliqua Lucy en les voyant arriver à l'hôtel. Julia ! Ce n'est pas vrai ! Encore des chaussures !

— Il me les fallait absolument…

— Combien de fois ai-je déjà entendu ça ? Tu sais, Silas, que Julia a un rapport pathologique avec les chaussures ?

— Attends que je te les montre ! Elles ont une forme parfaite, s'exclama Julia avec enthousiasme. Et les talons… Ils avaient une paire avec une adorable petite boucle, et une autre avec de vrais talons aiguilles, et…

— Et tu les as achetées toutes les deux ! Pas étonnant que tu sois sortie ce matin sans dire à personne où tu allais, dit Lucy d'un ton accusateur. Il va falloir que tu trouves un moyen de la corriger, Silas.

— Oui, je le crois, approuva celui-ci d'un air grave.

Mais quand Julia le regarda, elle comprit à la lueur malicieuse qui brillait dans ses yeux que le genre de correction qu'il envisageait n'avait rien à voir avec ses achats de chaussures.

Elle ne savait pas ce qui lui arrivait, mais elle savait ce qu'elle aimerait qu'il arrive, songea-t-elle. Oui, elle commençait à imaginer beaucoup de choses…

— Julia, voyons, arrête de regarder Silas comme ça, tu me gênes ! protesta Lucy en riant.

— Alors, parle-moi un peu de ce fétichisme pour les chaussures.

Après le déjeuner, Lucy et Nick étaient montés faire leurs bagages, et Julia et Silas étaient restés dans le patio, à terminer la bouteille de vin que ce dernier avait commandée pour accompagner leur repas.

— Ce n'est pas du fétichisme. C'est juste que je ne peux pas m'empêcher d'acheter des chaussures.

— Hum, je vois… Et qu'est-ce que c'est que cette histoire de forme parfaite ?

Décidément, les hommes ne savaient rien ! songea Julia en secouant la tête.

— Le devant de la chaussure dévoile la naissance des orteils, c'est le summum du sexy. Tu comprendras ce que je veux dire quand tu les verras.

— J'ai hâte !

Elle baissa les yeux.

— Je ferais mieux de monter faire ma valise, déclara-t-elle. Il faut que je sois à l'aéroport à 17 heures.

Allait-il proposer de l'accompagner dans la chambre ?

— Prends ton temps, j'ai quelques coups de fil à passer.

Julia essaya de ne pas paraître déçue.

— Au fait, dit Silas. J'ai annulé ta réservation dans la pension de famille et j'ai pris une chambre à l'hôtel Arcadia à la place.

— L'Arcadia ? Mais c'est l'hôtel le plus chic de Positano ! Ça coûte une fortune, et Lucy…

— Pas de panique, c'est moi qui paierai la facture, bien sûr. Lucy a bien dit que Dorland allait passer ici ?

— Oui, vers 15 heures.

*
* *

Julia fit sa valise rapidement. Sa « panoplie » de voyage consistait généralement en un jean, quelques T-shirts et débardeurs, un maillot de bain (au cas où elle aurait du temps libre) et une robe longue en jersey toute simple, qu'elle portait quand elle devait être plus sophistiquée. A cela s'ajoutaient un short en jean, un chemisier de style bohème et un grand jupon à volants.

Julia adorait compléter ses tenues avec des accessoires. Elle avait un style bien à elle, contrairement à bien des clientes qui s'habillaient toutes suivant la même mode. Son accessoire favori du moment était une large ceinture en cuir marron foncé ornée de pétales de fleur en cuir et de perles turquoise qu'elle avait achetée au marché aux puces de Londres. Elle avait eu très envie d'acheter les boucles d'oreilles en turquoise qui allaient avec, mais elle avait réussi à résister.

Une fois sa valise fermée, elle regarda sa montre, un modèle simple mais si élégant de chez Cartier, que Lucy avait tenu à lui offrir avec ses premiers bénéfices. Elle avait offert la même à Carly.

C'était l'époque heureuse, où toutes trois riaient beaucoup, songea Julia en fronçant les sourcils. Aujourd'hui, elles devaient affronter une succession de problèmes financiers, et Lucy avait dû puiser dans ses fonds propres pour soutenir Clé en main. Il n'était pas étonnant qu'elle ait l'air si anxieux ces derniers temps.

Julia sortait de l'ascenseur quand son portable sonna.

— Ma chérie ! fit la voix de sa mère. Quelle vilaine fille tu fais de ne pas nous avoir annoncé que Silas et toi étiez fiancés ! Je ne l'ai pas cru quand Mme Williams m'a montré l'article avec une photo de vous deux dans le magazine qu'elle achète chaque semaine. C'est une très jolie photo, ma chérie, même si je reconnais que j'ai été un peu surprise. Mais nous sommes très heureux. Ton grand-père surtout. Je suis allée aussitôt lui annoncer la nouvelle. Il était tellement content qu'il a demandé à Bowers d'ouvrir une bouteille du vin qu'il avait vendangé l'année où tu es née, pour fêter l'événement. Bien sûr, j'ai aussi appelé Nancy. J'ai dû la réveiller en pleine nuit à cause du décalage horaire, mais elle était aussi ravie que nous. Vous vous marierez à Amberley, bien sûr, c'est la tradition dans la famille. Mais avez-vous choisi une date ? Je trouve que les mariages en hiver ont une certaine classe…

Au fur et à mesure que sa mère parlait, Julia se sentait de plus en plus mal à l'aise.

— Maman…, essaya-t-elle de protester.

Mais sa mère, aux anges, était trop occupée à faire la liste de tous les invités et à chercher quelles jeunes filles pourraient être demoiselles d'honneur…

Après avoir raccroché, Julia retrouva Silas dans le patio.

— Ma mère vient de m'appeler, annonça-t-elle. Elle croit que nous allons nous marier.

Comme il ne réagissait pas, elle ajouta :

— Elle a prévenu ta mère, et grand-père était tellement content qu'il a fait ouvrir une bouteille du vin qu'il avait vendangé l'année de ma naissance.

— Le Château d'Yquem ? demanda-t-il, visiblement impressionné. C'est qu'il doit être content, alors.

— Bien sûr qu'il est content. Mais là n'est pas la question. Nous ne sommes pas *fiancés*, nous ne sommes même pas *ensemble*. Tu imagines ce que cela va lui faire quand il va découvrir la vérité ?

— Tu as raison. On ne peut pas laisser cela se produire.

Julia eut la curieuse impression qu'elle ne maîtrisait plus la situation.

— Silas…

— Nous allons devoir continuer ainsi pour l'instant.

— Continuer ? Ma mère est déjà en train d'organiser la cérémonie !

— Toutes les mères sont comme ça. D'accord, c'est fâcheux, mais ce n'est pas la fin du monde. Les gens se fiancent tous les jours, tu sais.

— Oui, mais ils ont une raison de se fiancer, dit-elle entre ses dents. Pas nous.

— Non, mais nous avons une raison de continuer à faire croire que nous sommes fiancés.

— Pour grand-père ?

— Exactement. Quels que soient nos sentiments, je suis sûr que nous sommes tous les deux d'avis que le plus important est de ne pas le bouleverser.

— Oui, bien sûr, admit-elle spontanément.

— Alors nous sommes tous les deux d'accord. La seule solution est d'accepter le fait que nous sommes maintenant fiancés.

Julia déglutit avec difficulté.

— Mais ensuite…

— Ensuite, il faudra trouver une solution. La vie en fournira peut-être une.

— Tu veux dire que grand-père pourrait… qu'il ne… Je sais que son cœur est fatigué, mais…

Avant qu'elle puisse poursuivre, une porte s'ouvrit et Dorland se précipita vers eux.

— Je suppose que vous savez pour ces satanés diamants ? Comment diable ont-ils pu être perdus ? Martina jure qu'elle a retiré le collier, qu'elle l'a rangé dans son coffret et qu'elle a demandé à quelqu'un de le remettre à un homme de la sécurité, payé une fortune pour ne pas quitter le bijou des yeux. Lui dit qu'il ne l'a jamais eu entre les mains. Quant à Martina, elle n'arrive pas à se rappeler à qui elle l'a donné et elle se met à crier chaque fois que je lui pose une question. Tiffany m'appelle toutes les cinq minutes, ils exigent un million de dollars pour le collier. Dieu merci, j'ai déjà réussi à vendre le récit de l'adultère de George le jour même où il a réaffirmé ses vœux, avec photos à l'appui.

— Dorland, l'interrompit Julia, je regrette pour le collier, mais j'ai un petit compte à régler avec toi.

— Quoi donc ?

— Ma mère est tombée sur un article de *La vie de la jet-set*, avec des photos de Silas et…

— Je suis désolé, ma chérie, je n'ai pas pu résister, la coupa Dorland, l'air plus réjoui que coupable. Les photos de vous étaient réussies, alors j'ai demandé à Murray de leur trouver une place dans l'édition de cette semaine C'est moi qui ai trouvé le titre : « Ça reste en famille ». Ensuite, l'article dit : « Mes informateurs m'ont dit qu'une de nos organisatrices de soirées préférées va bientôt s'occuper de son propre mariage. Et devinez avec qui ? Son grand-père, le comte d'Amberley, doit se réjouir, puisque le futur époux n'est autre que son héritier, le milliardaire américain Silas Cabot Carter. » Vous allez vous marier à Amberley, je suppose ?

— Bien sûr, confirma Silas. Mais pas tout de suite. Je n'ai pas oublié la promesse que j'ai faite à Lucy.

Décidément, songea-t-il, les choses n'auraient pas pu mieux se dérouler s'il les avait planifiées lui-même.

— Oh, Julia, j'ai réfléchi… les feux d'artifice… Crois-tu vraiment que ce soit une bonne idée de les coordonner par couleur ? demanda Dorland, qui était passé à autre chose et pensait apparemment à sa prochaine fête.

— Oui, je pense que c'est une excellente idée, assura Julia.

— Lucy, je sais que tu es sur le point de partir, mais aurais-tu une minute ?

— Oui, bien sûr. Nick est descendu avec nos affaires pour guetter le taxi.

Julia détestait cette situation. Elle n'avait aucune envie de mentir à son amie, mais son grand-père ayant déjà envoyé un faire-part au *Times*, Lucy risquait de se demander pourquoi elle ne lui avait rien dit.

— Silas et moi allons nous fiancer.

— Julia ! s'exclama Lucy en la prenant dans ses bras, le visage inondé de joie. Oh, je suis tellement contente pour toi. Vous êtes faits l'un pour l'autre. Comme c'est excitant. Et tu n'en as jamais dit un mot avant hier…

— Tout s'est passé très vite, répondit Julia, mal à l'aise.

Là au moins, elle ne mentait pas… Même si Lucy semblait ravie de la nouvelle, elle lui trouvait toujours l'air anxieux.

— Tu es heureuse, Lucy, n'est-ce pas ? demanda-t-elle soudain. Je veux dire, avec Nick ?

— Oui, bien sûr, répondit vivement la jeune femme. Pourquoi ne le serais-je pas ?

— Vous avez une minute, Blayne ?

— Certainement. En quoi puis-je vous aider, Silas ?

— Vous marchez sur une corde raide en ce moment, et si votre mariage ne me regarde pas, le bien-être de Julia me concerne.

— Vous me mettez en garde ? demanda Nick en souriant. Julia est une nature très passionnée. Elle n'a jamais caché que je lui plaisais…

— Ah oui ? Et vous, Blayne, qu'est-ce qui vous plaît ? A part agresser des jeunes femmes, bien sûr.

Silas se sentait de plus en plus furieux.

— Je ne sais pas ce qu'elle vous a raconté, mais elle…

— Elle essayait de vous dire qu'elle n'avait pas envie de coucher avec vous. Laissez-moi vous donner un conseil d'ami. Vous êtes un homme chanceux, vous avez épousé Lucy. Mais n'abusez pas de cette chance, ou vous pourriez vous retrouver très vite célibataire. Si elle n'était pas là, j'aurais déjà fichu votre vie en l'air. Vous êtes une ordure, vous le savez et je le sais. Alors, si vous ne voulez pas que tout ceci devienne public, je vous suggère de vous faire discret.

— Vous pouvez prendre de grands airs, avec vos milliards de dollars, éclata Nick. Vous n'avez aucune idée de ce qu'est la vraie vie. Sinon, vous…

— L'argent n'a rien à voir avec la morale, Blayne. Nous avons tous la liberté de choisir.

— Salaud, murmura Nick en s'éloignant.

Silas était furieux, mais ce n'était pas seulement à cause de Blayne. Il prétendait posséder un plus haut sens moral que ce type. Pourtant, d'après sa mère qu'il venait d'avoir au téléphone, il manipulait Julia en la poussant à l'épouser.

— Ce mariage lui sera aussi profitable qu'à moi, avait-il argué.

— Seulement si elle partage ton point de vue, Silas, et je ne crois pas que ce soit le cas. Tu dis être un homme pragmatique, qui ne veut pas d'un mariage basé sur l'amour. Je doute que Julia soit de cet avis.

Silas secoua la tête pour interrompre le cours de ses pensées. Ce n'était pas le moment de s'embourber dans la culpabilité.

Toute personne sensée serait d'accord avec lui pour reconnaître que ce mariage serait bénéfique à tous les deux. Au lit et dans la vie. Il se considérait comme un amant attentionné, et si Julia avait flirté avec lui, cela voulait bien dire qu'elle n'était pas réticente à l'idée de coucher avec lui… Ils avaient tout pour vivre une vie sexuelle plus que satisfaisante.

Si c'était le cas, il était prêt à être un mari fidèle, et il se sentait capable de satisfaire Julia pour qu'elle ne soit pas tentée d'aller voir ailleurs. Leur mariage aurait un fondement bien plus fort qu'une union basée sur un prétendu « grand amour ». Il suffisait de regarder la tragédie du mariage de Lucy avec Blayne pour en être sûr.

5.

C'était indéniable, il y avait certains avantages à être « fiancée » à Silas, songea Julia tandis que leur limousine les emmenait à Positano.

Elle savait que beaucoup de gens trouvaient Silas redoutable. Son pragmatisme froid l'avait souvent ennuyée, mais parfois, comme en ce moment, elle reconnaissait que cela pouvait avoir du bon. Elle se considérait comme une jeune femme moderne et indépendante, mais elle avait apprécié de voyager en première classe et de n'avoir ensuite rien d'autre à faire que de s'asseoir sur la confortable banquette, de se détendre, et d'admirer le paysage imposant des côtes d'Amalfi.

Silas, comme il fallait s'y attendre, avait passé son temps à travailler, utilisant constamment son ordinateur de poche BlackBerry pour téléphoner et envoyer des e-mails.

Le chauffeur de la limousine, avec un authentique brio italien, égrenait un chapelet d'injures contre les nombreux autocars qui encombraient la route sinueuse.

— Détends-toi, lui avait murmuré Silas quand elle avait retenu sa respiration, craignant que la voiture ne tombe dans un précipice. Il sait qu'il n'aura pas de pourboire si nous n'arrivons pas vivants.

Julia avait été étonnée qu'il perçoive son inquiétude. Il n'avait même pas eu à la regarder pour ça. Elle le savait parce que, à chaque fois qu'elle jetait un œil dans sa direction, il avait les yeux rivés sur son petit écran.

Qu'est-ce qui pourrait le faire sortir de sa réserve froide et distante pour l'entraîner dans la passion ? Ou plutôt, *qui* le pourrait ? Il faudrait une femme déterminée, très forte. Une nouvelle fois, elle se demanda quel amant il était. Expérimenté, sachant ce qui plaisait à une femme. Silas était très exigeant envers lui-même. Une femme devait pouvoir compter sur lui pour lui procurer un maximum de plaisir, sans jamais lui faire de mal.

Physiquement, peut-être, mais émotionnellement ? Etait-il capable, avec la froide distance qu'il affichait, de comprendre la souffrance ?

— J'ai envoyé un e-mail à ton grand-père, pour m'excuser de ne pas avoir demandé officiellement sa permission pour nos fiançailles. Je lui ai dit que nous avions été dépassés par ton impétuosité.

— *Mon* impétuosité ?

— Il ne m'aurait pas cru si je lui avais dit que c'était la mienne, n'est-ce pas ? J'ai aussi envoyé un e-mail à ma mère, et au carnet mondain new-yorkais.

— As-tu aussi dit à ta mère que c'était à cause de mon impétuosité ?

— Elle n'a pas besoin d'explication.

Tandis que Julia digérait en silence ces paroles, il ajouta :

— Tu vas avoir besoin d'une bague de fiançailles, mais j'ai suggéré à ton grand-père que nous attendions de pouvoir retourner à New York ensemble.

— Silas, je ne veux pas de bague.

Il poursuivit comme s'il ne l'avait pas entendue.

— Tu porteras le diamant de Monckford.

— Comment ? Tu veux parler de celui pour lequel le sixième comte d'Amberley s'est battu en duel ?

— En réalité, c'est pour l'honneur de sa femme qu'il s'est battu. Mais puisque celle-ci avait eu la bêtise de porter la bague quand elle est allée rejoindre son amant, oui, il s'agit bien de cette bague. Traditionnellement, c'est la bague de fiançailles de la famille, il me semble donc bien que ce soit toi qui la portes.

— Je croyais que tu étais censé diriger la Fondation, et non passer ton temps à récupérer toutes les babioles que la famille a possédées.

— Le diamant de Monckford n'est pas vraiment une babiole. C'est une pierre très rare et très ancienne.

— Dieu merci, je n'aurai pas à la porter en permanence. Si elle est correctement représentée sur le portrait de la comtesse, elle doit être horrible, ne put-elle s'empêcher d'ajouter par défi.

Silas arrivait toujours à la rendre agressive, comme s'ils ne pouvaient pas s'empêcher de se provoquer mutuellement. Mais elle avait beau lui lancer des piques, il ne montrait jamais la moindre émotion…

Ils étaient arrivés à Positano, avec ses rangées de maisons aux teintes pastel et, en arrière-fond, le bleu intense de la Méditerranée.

En admirant le paysage, Julia comprit que de nombreux peintres soient tombés sous le charme de cet endroit. Pas étonnant que les Silverwood aient voulu revenir ici, l'endroit où ils s'étaient rencontrés, pour célébrer leur anniversaire de mariage. A chacune de leurs visites, ils avaient l'habitude de descendre dans le même hôtel, et Julia avait réussi, après d'âpres négociations, à obtenir qu'ils aient à disposition toute la salle à manger qui donnait sur une terrasse surplombant la mer, pour un grand dîner. Naturellement, le directeur de l'hôtel avait exigé pour cela une somme considérable, étant donné qu'on était en pleine saison touristique.

La limousine passa l'entrée de l'hôtel Arcadia. Julia savait que l'établissement avait été construit au XVIIIᵉ siècle, et qu'il avait été transformé en hôtel à la fin des années cinquante. Les chambres étaient encore meublées comme dans une demeure privée, avec des antiquités et des objets d'art choisis avec soin.

On les conduisit très vite à leur suite, et Julia eut le souffle coupé en regardant par l'une des fenêtres. L'hôtel devait certainement avoir la plus jolie vue sur Positano, se dit-elle tandis que Silas donnait un pourboire au porteur.

— C'est paradisiaque, murmura-t-elle, incapable de détacher ses yeux du bleu étincelant de la mer.

— Quel est le programme pour demain ? demanda-t-il en jetant à peine un coup d'œil sur le panorama, avant de saisir son ordinateur de poche.

— La famille doit arriver aujourd'hui, ainsi que la plupart des invités. Pour demain, nous avons loué un yacht qui emmènera tout le monde à Capri, pour un déjeuner. Demain soir, il y aura une réception au champagne à l'hôtel. Certains invités n'arriveront pas à temps pour l'excursion à Capri, il y aura donc une sortie à Amalfi pour ceux qui le souhaiteront. Pour ceux qui préfèrent rester, il y aura un buffet à l'hôtel pour le déjeuner. Le grand dîner aura lieu le soir.

— C'est tout ?

— Oui. A part, bien sûr, les fleurs, le coiffeur, les repas, le vin, les cadeaux, etc.

Silas avait posé son BlackBerry pour venir contempler la vue. Il y avait peu de place sur le petit balcon, il dut donc se placer derrière Julia, si près qu'elle sentait la chaleur que son corps dégageait.

— Je crois que cette nuit nous ne ferons pas chambre à part, dit-il soudain.

— Pardon ?

Elle voulut se retourner mais elle se rendit compte qu'elle se retrouverait alors plaquée contre lui.

— C'est vraiment une vue magnifique, lâcha-t-elle, paniquée.

— Magnifique, approuva Silas.

Il passa un bras autour d'elle et la fit pivoter vers lui.

— Je ne crois pas que ce soit une bonne idée, murmura-t-elle d'une voix mal assurée.

— Non ? Tu es sûre ?

Ses lèvres vinrent effleurer les siennes. Comment un homme aussi calme et distant pouvait-il avoir une bouche aussi chaude et sensuelle ? Comme le feu sous la glace… Quel délice !

Laissant échapper un soupir de volupté, Julia s'approcha de lui et enroula ses bras autour de son cou.

Il caressa ses lèvres du bout de la langue, lentement, laissant entendre qu'il ne cesserait pas tant qu'elle n'aurait pas cédé. Julia tressaillit de plaisir et entrouvrit les lèvres pour le laisser approfondir son baiser. Il l'embrassait merveilleusement bien. A moins que ce ne soit parce qu'elle n'avait pas été embrassée depuis longtemps ? Tout son corps semblait maintenant se liquéfier sous les mouvements délibérément lents et sensuels de cette langue experte.

Il posa la main sur un de ses seins, puis taquina du bout des doigts les pointes durcies, retirant sa paume pour effleurer le tissu de son T-shirt, avant de recommencer. Instinctivement, elle voulut à son tour le toucher tout aussi intimement et s'emparer de son sexe durci pour en sentir la puissance et voir le plaisir qu'elle pourrait lui procurer.

Cela faisait si longtemps qu'elle n'avait pas fait l'amour. Elle avait sincèrement cru que cela ne la dérangeait pas, mais elle comprenait à présent l'importance de cet acte par le désir impérieux qu'elle éprouvait pour Silas.

Silas ?

Tout à coup, elle interrompit leur baiser.

— Qu'est-ce qui ne va pas ? demanda-t-il.

— Nous ne devrions pas…

— Bien sûr que si ! Nous sommes fiancés, après tout. Et, plus important encore : tu en as envie…

— Et toi ?

La manière dont il la regarda tout en prenant sa main pour la poser sur son érection fit chavirer son cœur dans sa poitrine.

— A ton avis ?

Elle fut presque choquée par la taille et la dureté de son sexe. Une voix en elle lui disait qu'elle ne pouvait pas être cette femme qui envisageait de faire l'amour avec Silas, mais une autre voix, beaucoup plus convaincante, murmurait qu'elle s'en voudrait jusqu'à la fin de ses jours si elle n'assouvissait pas ce désir violent qui s'était emparé d'elle.

Mais elle avait tout de même certaines responsabilités…

— Je ferais bien d'aller à l'hôtel pour vérifier que tout est en ordre…

— Qu'est-ce qui me dit que ce n'est pas juste une excuse pour t'échapper et aller t'acheter des chaussures en cachette ?

Elle était à cent lieues de penser aux chaussures en cet instant ! Elle ne pensait qu'à son corps nu contre celui de Silas, qui la posséderait tout entière.

— D'accord, céda-t-il. Alors viens, allons défaire nos bagages. Puis nous descendrons dîner.

Les bagages ? Le dîner ? La faim qu'elle éprouvait ne serait pas assouvie par un repas. Quant aux vêtements…

Silas regarda Julia en souriant. Elle avait envie de lui, il en était certain. C'était une bonne chose. Etablir un lien sexuel avec elle avant de la convaincre de l'épouser ne faisait pas partie de son plan initial, mais les plans étaient faits pour être modifiés. Pourquoi ne pas profiter d'une aussi belle opportunité, surtout si cela pouvait leur procurer du plaisir à tous les deux ?

Il était presque désemparé de l'intensité de ses propres sensations. Lui qui se targuait de pouvoir se contrôler en toute circonstance, il sentait tout son corps palpiter, tendu par le désir de posséder Julia, de la pénétrer lentement pour se retirer tout aussi lentement, et revenir encore plus profondément, jusqu'à ce qu'elle griffe son dos, qu'elle s'agrippe à lui en gémissant de plaisir et qu'elle lui demande d'aller plus vite, plus fort...

Il se força à penser à autre chose. Il avait certes décidé d'épouser Julia depuis huit ans, mais il n'avait pas passé toutes ces années à fantasmer sur elle, et il n'allait pas commencer aujourd'hui.

Il songea soudain que s'il n'avait pas déjà prévu d'épouser Julia, l'intensité de son désir physique aurait pu lui poser un problème. Car jusqu'à présent, il n'y avait pas eu de place pour les problèmes dans sa vie, ni pour les situations où il aurait pu perdre le contrôle.

Sa mère était une femme intelligente et forte, mais elle s'était retrouvée veuve très jeune. Elle avait cédé aux pressions des conseillers financiers de son défunt époux, et accepté que les administrateurs de la Fondation interviennent dans l'éducation de Silas pour qu'il soit apte à tenir le rôle qui lui revenait. A l'époque, les administrateurs avaient une cinquantaine d'années et considéraient la passion et l'enthousiasme comme des choses déplorables qu'il fallait canaliser. A leur contact, Silas n'avait pas seulement appris à diriger la Fondation, il avait aussi intégré, et dès son plus jeune âge, certains principes d'une autre époque.

Il avait été formé à faire passer la Fondation avant tout, à se maîtriser en toute circonstance, à se montrer pragmatique et à ne pas trahir ses émotions. Les administrateurs étaient à présent tous décédés, mais il savait qu'ils auraient approuvé sa décision de prendre Julia pour épouse. Il considérait ce qu'il avait appris comme un atout, qu'il avait bien l'intention de transmettre à ses propres fils.

Julia l'observait, se demandant à quoi il pouvait penser, et s'il était aussi surpris qu'elle du tour qu'avaient pris les choses entre eux. C'était le problème avec Silas : on ne savait jamais ce qu'il pensait.

Elle saisit son sac à main et chercha son portable. Elle n'avait pas eu le temps de le recharger avant de quitter Majorque et l'avait donc éteint pour économiser la batterie.

Elle trouva enfin son téléphone au fond de son sac et l'alluma. Elle fit une moue en voyant le nombre de messages qui l'attendaient.

— Tu devrais passer au BlackBerry, lui dit Silas.

— Je sais, mais en ce moment la société ne gagne pas assez d'argent pour ça.

— J'ai pourtant vu Blayne en utiliser un.

— Oui, Nick en a un, c'est vrai. Mais c'est lui qui voyage le plus.

Elle se mit à écouter son répondeur, inquiète de constater que la plupart des messages étaient de sa cliente, Mme Silverwood.

— Il faut que je passe à l'hôtel de mes clients, dit-elle après avoir raccroché. Il y a un malentendu que je dois régler au plus vite.

— Quel genre de malentendu ?

— Quand ma cliente a demandé de jeter un œil sur la salle à manger privée, le personnel de l'hôtel lui a dit que la réservation pour le grand dîner a été annulée. Elle a tout de suite appelé Lucy, et elles n'ont pas arrêté d'essayer de me joindre. Il faut que j'y aille. Il y a forcément une erreur. J'ai effectué la réservation moi-même, et je ne l'ai certainement pas annulée, surtout après la difficulté que j'ai eue à convaincre l'hôtel de nous céder cette salle et la terrasse.

— Tu ne peux pas les appeler ?

— Je pourrais, mais je préfère y aller et régler les choses en personne.

— Je t'accompagne.

— Merci, mais non. C'est mon problème, pas le tien. Ce n'est qu'un malentendu qui devrait se régler très vite.

Elle portait toujours les vêtements avec lesquels elle avait voyagé, elle se sentait fatiguée et aurait bien pris une douche, mais cela devrait attendre.

Une demi-heure plus tard, ayant décidé qu'il serait plus rapide d'aller à pied jusqu'à l'hôtel, Julia arrivait à la réception, essayant de rester calme et professionnelle pour expliquer qui elle était et demander à voir le directeur. Elle espérait pouvoir régler le problème avant d'annoncer sa présence à ses clients.

Quand elle vit le regard circonspect que la réceptionniste posa sur elle, elle regretta de ne pas avoir pris le temps de se refaire une beauté.

On la fit attendre dans le hall pendant plus de quinze minutes avant que le directeur sorte de son bureau et lui fasse signe d'approcher.

Elle n'avait pas l'intention de discuter de la situation en public. Elle arbora donc son sourire le plus diplomatique pour demander s'ils pouvaient parler dans un endroit plus privé. Pendant de longues secondes, elle crut que le directeur allait refuser. Enfin, il lui fit signe de le suivre.

— Très bien, venez par ici.

La pièce dans laquelle il la conduisit comportait un imposant bureau qui prenait presque toute la place. Il lui indiqua un siège inconfortable et un peu trop bas, tandis que lui prenait place dans un fauteuil qui le faisait paraître plus grand qu'il n'était en réalité.

Clé en main fonctionnait beaucoup grâce au bouche-à-oreille, et malgré son franc-parler, Julia avait appris à mesurer ses propos dans le cadre professionnel et à déployer des trésors de diplomatie. Surtout dans ce genre de circonstances.

Dès qu'elle fut assise, elle sourit et présenta calmement ses excuses pour l'inconvénient provoqué par un malentendu qu'elle était sûre de pouvoir dissiper.

— Il doit y avoir une petite erreur quelque part, car je peux vous assurer que je n'ai jamais annulé cette réservation. Vous vous souvenez certainement de nos négociations…

— Oui, en effet. Et je me souviens également que nous avions convenu que vous verseriez des arrhes correspondant à la moitié des frais estimés pour la soirée.

— Bien sûr, et j'ai expliqué vos conditions à nos clients, qui les ont acceptées.

Le directeur esquissa un rictus de mauvais augure.

— Mais vous n'avez pas respecté ces conditions.

Julia fronça les sourcils mais garda son calme.

— Je suis désolée, je ne comprends pas. Que voulez-vous dire ?

— Je veux dire que vous ne nous avez pas fait parvenir la somme convenue. Qui plus est, vous avez ignoré les e-mails que je vous ai envoyés pour vous la réclamer, ainsi que mon dernier message vous prévenant que si vous ne procédiez pas immédiatement au règlement, la réservation serait annulée.

— Il doit y avoir une erreur, protesta Julia.

— J'ai ici la copie de ces e-mails, que j'ai montrée à vos clients.

Julia ne comprenait pas ce qui s'était passé. Elle se souvenait clairement avoir reçu le chèque des Silverwood et l'avoir transmis à Nick, qui s'occupait de la comptabilité de la société. Celui-ci avait dû le déposer sur leur compte et envoyer un chèque du même montant à l'hôtel. C'était ainsi qu'ils fonctionnaient d'habitude. Mais avant de découvrir qui avait commis une faute, le plus important était de s'assurer que la soirée de ses clients se déroulerait comme prévu. Elle allait devoir supplier le directeur de l'hôtel, même s'il semblait peu disposé à l'écouter.

— Je ne peux que vous renouveler mes excuses. Visiblement, il y a eu un problème de communication de notre côté. Dès mon retour à Londres, je reprendrai tout le dossier pour comprendre ce qui s'est passé. En attendant, je sais que nous voulons tous les deux que la soirée de M. et Mme Silverwood se passe au mieux.

— Je leur ai déjà expliqué qu'il nous était désormais impossible de mettre la salle à leur disposition. Et même si cela était possible, les préparatifs n'ont pas été faits en cuisine.

Julia commençait à se sentir très mal à l'aise. La préparation de cet événement et son bon déroulement relevaient de sa seule responsabilité. Les Silverwood s'étaient adressés à Clé en main sur la recommandation d'une amie et, dès le début, sa cliente avait très clairement expliqué ce qu'elle voulait, jusqu'aux moindres détails du menu.

Si elle ne trouvait pas de solution dans les minutes qui venaient, cela serait très dommageable pour la réputation de la société. Pire, cela gâcherait un événement très important pour les Silverwood.

Julia déploya tous les arguments pour faire ployer le directeur et l'amener à trouver un accord.

— L'hôtel est complet, et plusieurs personnes ont déjà réservé des tables dans la salle à manger, qui est l'un des meilleurs atouts de notre établissement. Tous ceux qui viennent dîner chez nous veulent profiter de la vue sur Positano.

— *Signore*, je vous en prie.

— Non, je suis désolé, c'est tout simplement impossible.

L'homme s'était levé et avançait déjà vers la porte, avec l'intention visible de se débarrasser d'elle. Mais avant qu'il ait posé la main sur la poignée, la porte s'ouvrit, et Mme Silverwood entra, suivie de la réceptionniste qui n'avait pas réussi à l'arrêter.

— Julia, que se passe-t-il ? demanda la vieille dame, excédée et furieuse. Vous m'aviez promis que nous aurions la salle à manger pour nous, mais le *signor* Bartoli m'assure que ce n'est pas possible !

Silas regarda sa montre. Il avait pris une douche, s'était changé, avait répondu à ses e-mails et était prêt à aller dîner. Julia était partie depuis plus d'une heure, plus de temps qu'il n'en fallait pour régler un léger malentendu.

Il ne lui fallut pas plus de quinze minutes pour rejoindre l'hôtel à pied et exactement quinze secondes pour persuader la réceptionniste, qui semblait dépassée, de le laisser entrer dans le bureau du directeur.

Quand il ouvrit la porte, il vit Julia debout dans un coin de la pièce, comme prise au piège, le visage pâle. Tête baissée, elle écoutait la harangue virulente du directeur de l'hôtel. Une femme sanglotait sur une chaise, répétant qu'elle ne méritait pas que sa fête soit gâchée.

— *Signor* Bartoli ? demanda-t-il.

Les trois occupants de la pièce se tournèrent vers Silas. Julia semblait sous le choc, et elle écarquilla les yeux en le voyant.

— Qui êtes-vous et que voulez-vous ? demanda le directeur de l'hôtel qui semblait sur le point d'avoir une attaque tant il était rouge de colère. Si vous venez vous aussi me demander de mettre mes clients dehors pour une soirée qui n'a même pas été payée, alors…

— J'ai l'honneur d'être le fiancé de Julia, répondit Silas. Peut-être pourrions-nous parler d'homme à homme, *signore* ?

74

Vous êtes un homme d'affaires, mais je suis sûr que vous avez également du cœur et du bon sens.

Il sortit son chéquier de sa poche avant de reprendre.

— Je suis également certain que nous pourrons trouver une solution satisfaisante à ce problème. M. et Mme Silverwood n'ont que d'excellents souvenirs de votre hôtel, *signore*, et nous souhaitons tous que cela reste le cas. Je suis certain qu'il n'est pas au-dessus de votre pouvoir de faire ce plaisir à votre cliente, malgré le malentendu qui s'est produit. Naturellement, je suis prêt à vous dédommager. En outre, je suis persuadé qu'un homme comme vous saura expliquer la situation aux clients qui ne sont pas censés participer à la fête. En fait, j'ai déjà parlé au directeur de mon hôtel, l'Arcadia, qui m'a confirmé que vos clients pourront dîner chez lui, à mes frais.

Sans tourner la tête pour la regarder, il ajouta :

— Julia, peut-être que Mme Silverwood apprécierait une coupe de champagne pour se remettre de ses émotions, pendant que *signor* Bartoli et moi achevons cette petite discussion.

Il était 22 heures, et Silas avait prévenu Julia que si elle mettait plus de dix minutes à se doucher et à se changer, il irait dîner sans elle.

Elle avait réussi l'exploit de se préparer en huit minutes, et ils étaient à présent assis à une table de l'Arcadia.

— Je n'arrive pas à croire que tu aies fait ça ! Offrir au *signor* Bartoli vingt mille euros de dédommagement pour lui faire changer d'avis, dit Julia en secouant la tête.

— Raconte-moi, que s'est-il passé ?

— Je n'en sais rien, admit-elle. Nous fonctionnons toujours de la même façon : les clients paient toutes les dépenses que nous engageons pour leur projet, par notre intermédiaire. Ainsi, nous réduisons nos frais généraux et tout est transparent pour nos clients. Nous ne facturons que nos services en tant qu'organisateurs.

— Tu as quand même dû être alertée par ces e-mails…

— Mais je ne les ai jamais reçus !

Elle s'interrompit pour sourire poliment au serveur qui apportait leurs entrées. Elle avait toujours l'estomac noué après la scène dans le bureau du directeur de l'hôtel, et elle n'avait pas faim, même si elle ne voulait pas le dire à Silas. Elle était déjà suffisamment gênée qu'il ait assisté à son humiliation et qu'il se soit senti obligé de voler à son secours, elle n'allait pas en plus lui montrer qu'elle était toujours bouleversée par cet épisode.

Il était peu indulgent envers la faiblesse émotionnelle d'autrui, et cet aspect de sa personnalité l'avait toujours mise sur la défensive. Il paraissait toujours si invulnérable qu'elle se sentait d'autant plus fragile face à lui. Il semblait croire que le fait d'avoir persuadé le directeur de l'hôtel avec un gros chèque avait résolu tous les problèmes, mais Julia était malade d'inquiétude en pensant à la manière dont elle allait le rembourser. Elle savait en effet que Clé en main ne pourrait pas le faire, car Lucy lui avait confié qu'ils n'avaient pas fait de bénéfices cette année. Julia n'avait pas d'argent de côté et, bien que son beau-père fût relativement aisé, elle ne s'imaginait pas lui demander vingt mille euros.

Silas la regardait tourner son potage sans y toucher.

— Qu'est-ce qui ne va pas ? demanda-t-il.

— Rien, c'est juste que je n'ai pas très faim.

— Cela fait plus de douze heures que tu n'as rien mangé. Comment peux-tu ne pas avoir faim ?

— C'est comme ça. Mais je suis fatiguée. En fait, si cela ne te dérange pas, je crois que je vais monter… me coucher.

Il haussa les épaules.

— Si c'est ce que tu veux, vas-y.

Il était là pour dîner, pas pour être en sa compagnie, essaya-t-il de se convaincre, tandis que Julia se levait de sa chaise. Et cette sensation qui ressemblait à un petit coup de couteau, presque douloureuse, ne lui faisait pas vraiment mal. C'était juste de l'irritation, provoquée par le comportement imprévisible de la jeune femme.

Julia fixait la feuille de papier qu'elle avait couverte de chiffres. Elle commençait à avoir mal au crâne. Elle avait beau jongler avec les chiffres, elle ne voyait vraiment pas comment elle pourrait trouver vingt mille euros.

Elle n'aimait pas contracter des dettes et ne possédait même pas de carte de crédit, mais elle n'avait pas non plus d'économies. Sa famille était riche, mais tout leur argent était investi dans les biens immobiliers — comme la propriété d'Amberley et l'appartement de Londres où elle habitait — et elle ne pouvait pas les vendre.

Elle aurait sans doute besoin de faire un emprunt, mais elle ne pouvait rien hypothéquer pour cela.

Silas souleva son verre et observa le liquide grenat qu'il contenait, un vin rouge corsé, d'un excellent cépage, qui aurait dû avoir une saveur chaude et ronde, mais qui lui semblait légèrement aigre. A moins que ce ne soit son humeur ? Il ne voyait vraiment pas pourquoi. Il dînait très souvent seul, en général parce qu'il préférait être tranquille. Il regarda son assiette. Son entrecôte était saisie juste comme il l'aimait, mais c'était comme si elle n'avait aucun goût, réalisa-t-il en repoussant son assiette avant de demander l'addition au serveur.

Tandis que l'ascenseur le conduisait à leur suite, Silas se demanda ce qui lui arrivait. Pourquoi n'avait-il pas terminé son repas ? Pourquoi sa soirée avait-elle perdu toute sa saveur quand Julia était partie ?

Plongée dans ses comptes, la jeune femme n'entendit pas la porte s'ouvrir et ne vit pas Silas entrer et s'approcher d'elle.

— Qu'est-ce que c'est ? demanda-t-il en saisissant le bout de papier.

— Rien !

Mais il n'écoutait pas. Il parcourut les petites colonnes, les mêmes chiffres écrits plusieurs fois, et il ressentit un tiraillement douloureux, une sensation qu'il n'avait pas éprouvée depuis très longtemps.

— Tu ne crois quand même pas que j'attends que tu me rembourses ?

— Il faut bien que quelqu'un le fasse, et je sais que Lucy ne peut pas. De toute façon, c'est moi qui étais chargée du dossier des Silverwood.

Elle écarquilla les yeux en le voyant froisser la feuille et la jeter dans la corbeille à papier.

— Tu es ma fiancée, rappelle-toi. Si j'ai donné cet argent au *signor* Bartoli, c'est d'abord pour ça. Il n'y a aucune raison que Lucy soit mise au courant, et encore moins qu'elle me rembourse, acheva-t-il d'un air sombre.

— Mais nos fiançailles ne sont pas réelles ! protesta-t-elle. Et même si c'était le cas, je tiendrais quand même à te rembourser.

— Pourquoi cela ?

— Parce que je n'aime pas qu'une personne utilise l'autre dans une relation. Comment pourrais-tu me respecter ? Comment pourrais-je me respecter si je te laissais m'entretenir ? Je ne peux pas t'égaler en terme d'argent, bien sûr, mais si nous formions un couple, je voudrais que nous puissions nous respecter l'un l'autre.

Silas ne répondit pas tout de suite. Ce qu'elle venait de

dire montrait à quel point Julia possédait le sens des responsabilités, et une fierté peu commune. Comment ne l'avait-il
pas vu plus tôt ?

— Si tes clients affirment qu'ils vous ont envoyé un chèque,
et surtout que ce chèque a été encaissé, il a dû se produire une
erreur de comptabilité. L'argent doit être quelque part dans les
comptes de Clé en main. Qui s'occupe des finances ?

— Nick, murmura-t-elle à regret.

Elle détourna le regard, refusant d'admettre qu'elle commençait
à s'inquiéter. Elle se rappelait maintenant plusieurs commentaires que Carly avait faits avant de quitter la société pour
épouser Ricardo. Se pouvait-il que Nick détourne l'argent de
la société ? Pas question de confier ses soupçons à Silas, car
elle pouvait se tromper. Nick l'avait menacée de la punir parce
qu'elle avait refusé ses avances, mais il n'avait pas pu mettre
ses menaces à exécution en faisant annuler la réservation : les
dates ne correspondaient pas. Sauf s'il avait réussi à pirater
ses e-mails... Mais cela voudrait dire qu'il volait sa propre
épouse. Pourquoi ferait-il cela ?

Elle se souvint alors qu'il avait voulu l'accompagner à
Positano et qu'elle avait refusé.

— A quoi penses-tu ? demanda Silas qui l'observait.

— Je pensais juste à Nick, répondit-elle.

6.

Elle pensait *juste* à Nick ? Silas avait du mal à le croire. Non, Julia était amoureuse de Blayne, même si elle prétendait le contraire. Et même si elle le désirait, *lui*.

Silas n'avait pas l'habitude d'entendre une femme exprimer son désir pour un autre homme quand elle était en sa compagnie, et encore moins d'éprouver les sentiments qui le submergeaient en ce moment. De la colère, de la douleur, de la jalousie ? Que lui arrivait-il ?

Loin de se douter que Silas avait mal interprété ses paroles, Julia prit une profonde inspiration et demanda :

— Silas, crois-tu que Nick pourrait être…

— … assez malheureux dans son mariage pour quitter Lucy pour toi ? demanda-t-il d'un ton agressif.

— Quitter Lucy pour moi ? Mais je t'ai déjà dit que je ne voulais pas de lui !

— Tu ne peux pourtant pas t'empêcher de penser à lui !

— Comment ? Mais non ! Je ne pense pas à lui en ces termes, protesta-t-elle. Seulement, je me fais du souci pour Lucy.

Comme Silas ne semblait toujours pas convaincu, elle expliqua :

— Nick s'occupe des questions financières de Clé en main, et je ne peux pas m'empêcher de penser que…

Il lui était difficile de dire ce qu'elle osait à peine penser, mais elle voyait bien à l'expression de Silas qu'elle allait devoir s'expliquer, sans quoi il continuerait à croire qu'elle était amoureuse de Nick. Elle voulait le convaincre du contraire, sans pour autant être prête à analyser les raisons qui la poussaient à agir ainsi.

— C'est sûrement stupide de ma part, mais je ne peux pas m'empêcher de craindre que Nick puisse… Silas, crois-tu qu'il serait capable de faire quelque chose de malhonnête ?

— Tu penses que Blayne pourrait détourner de l'argent ? demanda Silas.

— Oui… Enfin, non… Je ne sais pas. Pourquoi le ferait-il alors qu'il est marié à Lucy ?

Elle soupira.

— Mais je n'ai jamais reçu ces e-mails que l'hôtel m'a envoyés. Et je suis sûre d'avoir transmis le chèque à Nick avec les factures correspondantes.

— Tu disais tout à l'heure que votre société avait du mal à dégager des bénéfices. Peut-être que la situation est encore pire que tu ne le crois et que Blayne n'a pas pu verser les arrhes, simplement parce qu'il n'y avait plus assez d'argent ?

— Mais alors, pourquoi ne m'a-t-il rien dit ? Il était très contrarié de ne pas m'accompagner à Positano. Je croyais que c'était parce que je l'avais éconduit, mais s'il savait qu'il allait y avoir un problème ici… Oh, Silas, je ne sais plus quoi penser. Lucy est une amie très chère, et Clé en main lui appartient. Je ne voudrais vraiment rien faire qui puisse lui faire du tort.

Silas respirait plus librement maintenant qu'il avait compris les préoccupations de Julia. Il se rassura intérieurement en se disant que l'intense soulagement qu'il ressentait était plus que naturel : il était heureux qu'elle ne lui ait pas menti. C'était tout.

— Veux-tu que je mène une enquête discrète ? demanda-t-il.

— Je ne sais pas… Peut-être vaut-il mieux attendre que j'en ai parlé avec Lucy… Je voudrais vérifier tous les dossiers.

— Crains-tu que Lucy soit impliquée ?

— Non ! Elle ne ferait jamais rien de malhonnête !

— Mais tu penses que Blayne pourrait l'avoir impliquée dans quelque chose de malhonnête, n'est-ce pas ?

— Je ne sais pas, Silas… Et comme je te l'ai dit, je ne veux pas qu'il arrive quoi que ce soit à Lucy. Je la plains, et je me sens aussi un peu coupable. Sans moi, elle n'aurait jamais rencontré Nick.

Elle semblait tellement désemparée que Silas eut une envie irrésistible de la réconforter. Il se rapprocha d'elle.

— Je te remercie pour ce que tu as fait à l'hôtel, Silas, dit-elle d'une voix rauque. Je regrette seulement que…

Elle arrêta de parler car Silas avait tendu les bras pour l'attirer à lui.

— Oublions un peu Clé en main et pensons plutôt à l'instant présent…

Il s'était passé tellement de choses que Julia en avait presque oublié l'excitation qu'elle avait ressentie quelques heures plus tôt. Presque, mais pas complètement… Son désir se réveilla quand Silas l'embrassa avec lenteur et douceur.

Elle noua ses bras autour de son cou pour l'amener plus près d'elle tout en savourant la passion grandissante de son baiser. Elle frémit de plaisir quand ses mains se mirent à parcourir les courbes de son corps avant de prendre possession de ses seins.

Les paupières closes, elle était envahie par des images érotiques… La main et la bouche de Silas sur son corps nu, la possédant corps et âme. Elle voyait son corps se cabrer de plaisir tandis que ses lèvres jouaient avec les pointes brûlantes de ses seins et que sa main glissait entre ses jambes pour une exploration sensuelle…

Mais pourquoi seulement imaginer cette scène ? Elle aimait tant la caresse de ses doigts sur ses seins, si envoûtante à travers le tissu de son T-shirt...

Il embrassa sa joue, la base de son oreille, puis ce petit creux à la naissance de son épaule, si sensible, et elle frissonna.

Etre tenue, touchée et embrassée ainsi, sans rien d'autre à faire que de laisser Silas lui donner du plaisir, était le délice le plus voluptueux qu'elle ait jamais connu. Elle laissa échapper un soupir sensuel et passa la main dans l'épaisse chevelure de Silas. Du bout des doigts, elle parcourut ensuite la courbe de sa nuque, jusqu'au haut de son dos. Sa peau était chaude et douce. Un sentiment de joie et de bien-être envahit Julia.

— Hum... Quels muscles ! murmura-t-elle malgré elle.

En entendant ces mots prononcés d'une voix voilée par le désir, Silas lui pinça légèrement la pointe d'un sein avant de lui mordiller le lobe de l'oreille.

.— Tu n'as pas envie de te débarrasser de ces vêtements ? demanda-t-il d'une voix rauque.

— J'avais peur que tu ne me le demandes jamais...

Silas éteignit la lumière. La pleine lune et une multitude d'étoiles illuminaient le ciel d'une lueur argentée qui inondait leur chambre. Il pouvait voir le désir dans les yeux de Julia, ses lèvres légèrement gonflées et rougies par leurs baisers passionnées. Il avança la main et traça un petit cercle autour d'un de ses seins, regardant avec satisfaction tout son corps se tendre sous sa caresse. Il imaginait déjà la peau nue de ses seins, d'un blanc velouté contrastant avec le brun de ses tétons, il imaginait les frémissements de son corps quand il taquinerait une de ces pointes du bout de la langue, avant de la prendre à pleine bouche. Il l'entendait déjà crier de plaisir et lui demander de la satisfaire.

Qu'est-ce qu'il attendait ? se demandait Julia, intriguée. Elle avança la main vers le ventre de Silas, puis plus bas encore, et elle entreprit de le caresser du bout des doigts.

Ce contact fut presque intolérable pour Silas qui en eut le souffle coupé. Il ne bougeait plus, prisonnier de cette caresse audacieuse, captivé par les décharges de plaisir qu'elle provoquait en lui.

D'ordinaire, il ne se posait pas de questions sur la chance qu'il pouvait avoir, il se concentrait davantage sur les actions concrètes que sur les émotions. Mais soudain, il avait envie de remercier la vie pour ce merveilleux cadeau. Il voulait Julia et elle le voulait, le désir entre eux était incandescent, d'une évidence éclatante.

En programmant ce mariage, jamais il n'aurait imaginé que cela puisse se passer ainsi...

Il laissa échapper un râle de plaisir en sentant les doigts de Julia prendre de l'assurance et caresser son sexe à travers la toile de son pantalon, tandis que son autre main défaisait sa ceinture.

Silas pouvait être très inventif quand il le voulait, constata Julia quand il se mit à lui ôter ses vêtements, avec une telle rapidité et une telle détermination qu'elle se retrouva nue sous le clair de lune en moins d'une minute.

Elle était debout, ne portant plus qu'un petit string en dentelle. Silas était agenouillé sur le sol devant elle. Il avait glissé ses mains sous la fine dentelle et traçait des cercles du bout de la langue autour de son nombril.

Les mains de Silas descendirent sur ses fesses, tandis que sa langue poursuivait sa trajectoire de feu jusqu'au bord de la dentelle. Puis une de ses mains glissa entre ses jambes, caressant la peau délicate de l'intérieur des cuisses, ce qui arracha à Julia un gémissement.

La chaleur de ses lèvres, la lente exploration de ses doigts sous la dentelle la firent se cambrer de plaisir. Elle avait envie qu'il approfondisse sa caresse, qu'il lui en donne plus, beaucoup plus... Elle avait envie que ces milliers de petites sensations délicieuses au cœur de son intimité deviennent quelque chose de plus puissant, de plus violent. Elle avait envie de...

— Oh, Silas ! gémit-elle.

Mais elle ne put continuer car son corps fut soudain pris d'un violent spasme, après lequel elle sentit que ses jambes ne la portaient plus. Silas la souleva dans ses bras et la porta jusqu'au lit avant de se débarrasser à son tour de ses vêtements.

Durant toutes ces années, elle ne l'avait jamais vu ne fut-ce qu'en maillot de bain, réalisa-t-elle en le regardant. Elle dévora des yeux ses larges épaules, son ventre plat, sa peau légèrement hâlée, ombrée par endroits d'un duvet sombre qui couvrait sa poitrine et formait une ligne noire jusqu'à son bas-ventre.

— Tu as un corps magnifique, tellement sexy, Silas... Rien que le fait de te regarder me fait fondre d'impatience.

Silas savait que Julia avait toujours eu tendance à parler franchement et à dire ce qui lui passait par la tête, mais il n'avait jamais pensé au plaisir que pouvait lui procurer cette franchise.

Elle voulut poursuivre, mais il l'embrassait déjà avec tant de passion qu'elle s'abandonna sans résister à ce baiser.

— J'avais oublié à quel point c'était bon, murmura Julia d'une voix ensommeillée en se blottissant contre Silas. La main posée sur sa poitrine, elle percevait les palpitations de son cœur.

— La dernière fois remonte donc à longtemps ?

— Une éternité ! admit-elle franchement. En fait, cela fait tellement longtemps que je m'en souviens à peine. Tu sais comment c'est : à l'adolescence, on ne pense qu'à ça, mais ensuite la vie change, n'est-ce pas ? Le démarrage de Clé en main m'a tellement accaparée que, même si j'avais rencontré quelqu'un d'attirant, je n'aurais pas eu de temps à lui consacrer.

— Tu as quand même rencontré Blayne.

— Oui, mais il m'a laissée tomber pour Lucy avant que nous soyons allés plus loin que quelques baisers.

— Ta réaction passionnée à mon égard est donc plus due à la frustration qu'à un vrai désir pour moi ?

— Qui a dit que j'étais frustrée ?

— Toi !

— Non, ce n'est pas vrai ! J'ai juste dit que j'avais oublié combien c'était bon. Parce que c'était vraiment bien, Silas, ajouta-t-elle d'une voix douce. En fait…

Elle hésitait et gardait les yeux baissés, mais Silas vit qu'elle avait les joues écarlates.

— En fait… ? l'encouragea-t-il.

Elle leva vers lui ses immenses yeux qui le fascinaient tant.

— En fait, c'est la première fois que j'éprouve autant de plaisir, avoua-t-elle.

Une émotion si forte gagna Silas que son cœur s'arrêta un instant de battre. Il se reprit en se disant que c'était la joie de voir son projet aboutir avec tant de facilité.

— Vraiment ? Assez pour que nous transformions ces fausses fiançailles en un vrai mariage ?

— Comment ? Tu plaisantes ! s'écria Julia.

— Non, je suis on ne peut plus sérieux.

— Mais… mais pourquoi voudrais-tu m'épouser ? demanda-t-elle en fronçant les sourcils.

— Oh, pour des raisons très simples. Je te trouve très désirable, tu embrasses bien… et j'adore la façon dont tu cries mon nom quand tu as un orgasme.

Julia rit et fit mine de lui donner un coup de poing dans le bras.

— Ce ne sont pas de bonnes raisons !

— Je n'en vois pas de meilleures. Si ce n'est peut-être le plaisir que j'éprouve à te faire l'amour.

Elle rit de plus belle, puis s'arrêta, soudain inquiète.

— Silas… Nous n'avons utilisé aucune précaution, et je ne prends pas la pilule. Qu'allons-nous faire si… ?

— Tu n'as pas envie d'avoir des enfants ?

— Si, bien sûr, mais…

— Alors qu'attendons-nous ?

— Silas ! protesta-t-elle en le voyant s'approcher d'elle.

— D'accord, ce ne serait peut-être pas une très bonne idée que tu marches jusqu'à l'autel en robe de grossesse. Nous ferions mieux d'acheter des préservatifs… et d'avancer la date du mariage.

Julia se sentait si euphorique qu'elle ne se demandait même pas comment Silas, qu'elle évitait jadis, avait pu en deux jours devenir l'homme qu'elle aimait passionnément et avec lequel elle voulait passer le reste de sa vie.

Il était tout ce dont elle avait besoin pour être heureuse. Silas et un lit… Silas et une douche assez grande pour deux personnes… Silas et une promenade magique au bord de la mer, dans une obscurité suffisante pour qu'ils puissent y cacher les élans de leur passion… Silas, dont elle sentait encore l'odeur sur sa peau et dans ses cheveux. Silas, qui la comblait comme aucun homme ne l'avait jamais fait.

Elle était obsédée par lui ! se dit-elle en esquissant un sourire heureux. Il était probablement le meilleur amant du monde, même s'il prétendait en riant que c'était son enthousiasme à elle qui l'encourageait.

Ce matin encore, alors que leurs corps étaient encore

palpitants de plaisir, il avait pris son visage entre ses mains et embrassé son nez avant de lui dire :

— N'enlève jamais ces lunettes roses à travers lesquelles tu me vois, je t'en prie.

Des lunettes roses ? Pas du tout ! L'avantage merveilleux de tomber amoureuse de Silas, c'était qu'elle savait déjà tout sur lui : elle était sûre qu'aucune mauvaise surprise ne viendrait jamais ternir son bonheur.

— Ma chère, tout ceci est merveilleux ! s'exclama Mme Silverwood avec émotion, tirant Julia de sa rêverie. Et tout cela grâce à votre merveilleux fiancé ! Je ne sais pas ce que nous aurions fait sans lui.

A l'autre extrémité du restaurant, Silas, que les Silverwood avaient tenu à convier à leur dîner, finissait une coupe de champagne et s'amusait à observer Julia. Il n'avait jamais autant ri que pendant ces deux derniers jours.

Il espérait sincèrement que leurs enfants hériteraient de la gaieté et du sens de l'humour de leur mère. Leurs enfants… Sentant le désir durcir son corps, il s'éloigna discrètement. Le sexe avec Julia ne ressemblait à rien de ce qu'il avait connu auparavant. Dans ses bras, il n'en avait jamais assez, et quand son corps était enfin apaisé, il se sentait envahi par une sensation d'intense satisfaction qu'il ne pouvait comparer à rien de ce qu'il connaissait.

Cette faim sexuelle qu'ils ressentaient l'un pour l'autre avait provoqué en lui un besoin urgent d'épouser Julia. La fin de l'année lui paraissait maintenant bien trop loin. Il voulait qu'elle soit liée à lui, fermement, définitivement, aussi tôt que possible. C'est pourquoi il avait passé des heures au téléphone cet après-midi, pendant qu'elle supervisait les derniers détails de la soirée des Silverwood. Le résultat valait le temps qu'il y avait passé, même s'il avait dû forcer la main à l'ambassadeur américain *et* à l'ambassadeur britannique pour parvenir à ses fins. A présent, il ne lui restait plus qu'à convaincre Julia.

Il était 4 heures du matin et les rues de Positano étaient vides quand Silas et Julia rentrèrent bras dessus bras dessous à leur hôtel.

— Les Silverwood avaient l'air heureux de leur soirée, commenta Silas.

— Oui, grâce à toi. J'ai cru mourir quand le chef a piqué une colère et menacé de rendre son tablier. Tu as eu une bonne idée de lui faire croire que le chef de l'Arcadia serait content de reprendre sa place.

Silas rit de bon cœur.

— Dis-moi, nous avons bien dix jours devant nous avant de gagner Marbella pour la fête de Dorland ?

— La fête est dans dix jours, mais nous devrons y être en avance pour que je puisse vérifier que tout se passe bien.

— Combien de temps ? Trois jours suffiraient ?

— Tout juste. Pourquoi ?

Ils étaient presque devant l'hôtel quand Silas s'arrêta et l'entraîna dans l'ombre avec lui. Il s'appuya contre un mur, les mains sur les hanches de la jeune femme pour l'attirer à lui.

Décidément, se dit Julia, l'odeur virile de Silas suffisait à lui tourner la tête… Elle se pressa contre lui et leva le visage pour recevoir son baiser.

— N'attendons pas pour nous marier ! dit-il d'une voix rauque qui déclencha une série de frissons en elle.

— Comment… Qu'est-ce que tu veux dire ? murmura-t-elle.

— Je veux dire : n'attendons pas, marions-nous ! Maintenant, ici, en Italie.

Comme ces paroles étaient douces à son oreille ! Le cœur

de Julia battait la chamade. Pour l'instant, ils n'avaient pas parlé d'amour mais, connaissant Silas, elle savait ce que son empressement signifiait. Mais tout de même...

— Silas, ce n'est pas possible, protesta-t-elle.

— Bien sûr que si. Je me suis renseigné : nous pourrions nous marier dans la semaine, peut-être même plus tôt, si je mets la pression sur notre ambassadeur.

— Pourquoi se précipiter ? dit-elle d'un ton taquin. Tu n'as pas confiance en moi ?

— Si, j'ai confiance en toi. Mais je ne suis pas sûr de pouvoir me fier à la résistance des préservatifs, vu ce que nous leur faisons subir.

Elle éclata de rire.

— Silas, tu ne plaisantes pas ? demanda-t-elle, se sentant emplie d'excitation.

— Tu en as envie ?

Elle ferma les yeux et les rouvrit.

— Si j'ai envie d'être ta femme et d'avoir la certitude d'une vie sexuelle épanouie pour le reste de mes jours ? Bien sûr que oui ! Mais que vont penser nos familles... et mon grand-père ?

— Nous pourrions organiser une cérémonie religieuse dans la chapelle d'Amberley, et même y renouveller nos vœux, si tu veux faire les choses dans les règles.

— Ce que je veux, c'est toi, lui dit-elle simplement en se haussant sur la pointe des pieds pour l'embrasser.

7.

— Je n'arrive toujours pas à croire que nous soyons en train de faire ça, chuchota Julia avec nervosité tandis qu'ils se tenaient côte à côte en attendant que leurs papiers soient vérifiés.

L'ambassade américaine leur avait recommandé de consulter un fonctionnaire italien versé dans les complexités d'une procédure de mariage entre deux étrangers sur le sol italien et, avec une rapidité qui avait impressionné Julia, tous les documents avaient été rassemblés et validés. Cela faisait à peine cinq jours que Silas avait fait sa demande, et ils étaient à présent sur le point de se marier.

— Ce sera une cérémonie civile, lui avait-il dit.

— Cela n'en rendra que plus beau ce que nous ferons à Amberley, lui avait-elle répondu, ravie. Ce sera vraiment bien de se marier deux fois !

Comme le diamant de Monckford était encore à New York, Julia n'avait pas de bague de fiançailles. Ils avaient choisi pour alliances deux anneaux d'or tout simples qu'ils avaient trouvés dans une petite bijouterie de Rome...

Des larmes d'émotion emplirent les yeux de Julia quand ils échangèrent leurs vœux. D'une certaine manière, le fait d'être seuls rendait cet engagement encore plus profond.

En glissant l'anneau de Silas à son doigt, elle lui jura silencieusement : « Je t'aimerai toujours. »

Elle savait qu'il n'était pas homme à parler facilement de ses émotions, mais elle était sûre qu'il l'aimait. Il l'avait épousée, après tout. Un petit sourire malicieux se dessina sur ses lèvres. Avant qu'ils fêtent leur premier anniversaire de mariage, elle lui aurait appris à dire « je t'aime », se promit-elle.

Ils avaient décidé de ne pas porter leurs alliances avant de rentrer en Angleterre et de pouvoir annoncer au grand-père de Julia ce qu'ils avaient fait.

— Je ne veux pas qu'il l'apprenne par la femme de ménage de maman ou par le magazine de Dorland, avait-elle dit quand ils avaient évoqué le sujet.

Silas avait compris et accepté.

Julia regardait Silas, son *mari*, avec un visage rayonnant de bonheur. Avant de partir en Espagne, ils passeraient la nuit à Rome, où Silas avait réservé une chambre dans le plus beau des hôtels.

— Je pensais que nous pourrions rentrer directement à l'hôtel, lui dit-il. A moins que tu ne préfères faire autre chose ?

— Plutôt que de passer la nuit avec toi ? Pas question !

C'était tellement rafraîchissant d'être avec Julia, songea Silas. Elle n'essayait jamais de minauder et il adorait la façon directe dont elle exprimait son désir pour lui. Mais ce désir n'était pas tout ce qu'ils partageaient. Elle était pleinement consciente de l'importance de préserver Amberley pour les générations futures. A sa façon bien sûr.

— Je ne le vois pas comme un musée, disait-elle. Amberley est ce qu'il est grâce à la façon dont chaque génération y a vécu. Parce que c'est un vrai foyer, et non pas parce que tout y a été conservé en l'état. Je sais que grand-père l'ouvre au public plusieurs mois par an, et que les salles de réception sont vraiment trop immenses pour qu'on y habite…

— Alors, qu'en ferais-tu ? avait demandé Silas.

— Oh, toutes sortes de choses. Nous pourrions organiser des soirées musicales dans le salon vert, pour que de jeunes musiciens puissent y jouer du Haendel par exemple. Et des rencontres littéraires dans la bibliothèque. Nous pourrions faire des choses qui profitent à d'autres. Imagine ce que cela représenterait pour des enfants qui apprennent à jouer d'un instrument d'avoir des leçons de musique dans le salon vert ! Et puis, il y a aussi la ferme. Je sais qu'elle est un peu à l'abandon, mais il y a suffisamment de terrain pour y élever toutes sortes de poules, de canards…

— Ma vie est à New York, lui avait-il rappelé. J'ai des responsabilités envers la Fondation.

— Je le sais bien. Mais nous pourrions partager notre temps entre Amberley et New York, tu ne crois pas ?

— Bien sûr !

— A propos, Silas, je crois que je ne sais pas grand-chose des activités de la Fondation. Il faudra que tu m'expliques comment elle fonctionne et en quoi je vais pouvoir t'aider.

Oui, il pouvait se féliciter de son choix, se répéta Silas. Comme il l'avait dit autrefois à sa mère, Julia était l'épouse parfaite pour lui.

L'hôtel que Silas avait choisi était une élégante bâtisse ancienne, cachée dans un labyrinthe de ruelles étroites qui donnaient sur une *piazza* tranquille, où trônait une fontaine circulaire en marbre ornée de fines statues. La grandeur austère du monument était contrebalancée par de grandes vasques aux formes classiques d'où sortaient des cascades de fleurs. Leur suite était dotée d'un balcon qui surplombait la *piazza*.

Julia leva les yeux et regarda leur chambre d'en bas. Elle fut parcourue d'un frisson d'excitation : faire l'amour avec

Silas était toujours merveilleux, mais cette fois-ci ce serait exceptionnel… Car ils étaient maintenant mari et femme, songea-t-elle en regardant son alliance.

— Nous pourrions dîner dans notre suite, suggéra Silas quand ils pénétrèrent dans le hall de l'hôtel. Mais d'abord, je voudrais te montrer quelque chose.

Il lui prit la main et l'entraîna sur la droite, vers un couloir en voûte mal éclairé. S'arrêtant soudain, il lui demanda :

— Où est ton chapeau ?

— Ici, répondit-elle en le montrant.

Julia avait pensé que Silas allait se moquer d'elle quand elle avait manifesté le désir de porter un chapeau de paille comme les femmes anglaises en portent traditionnellement le jour de leur mariage. Mais il avait au contraire approuvé d'un signe de tête.

Ils atteignirent deux grandes portes de bois poli que Silas ouvrit. Derrière ces portes commençait un autre couloir, aux murs de pierre grossièrement taillée, dont émanait un froid qui fit frissonner Julia. Elle lança un regard interrogateur à Silas.

— Cet endroit était autrefois un hôtel particulier. Quand la famille qui y vivait l'a vendu, elle a posé comme condition que des cierges brûlent en permanence dans la chapelle privée, et qu'elle soit toujours ouverte à ceux qui voudraient y prier ou rendre grâce.

Ils avaient atteint une autre double porte. Hésitante, Julia regarda Silas. Il lui sourit, lui prit son chapeau des mains et le posa doucement sur sa tête.

— C'est pour cela que je t'ai emmenée ici, Julia. Pour que je puisse rendre grâce à Dieu. Et aussi parce que quand nous avons échangé nos vœux, tout à l'heure, j'ai senti qu'une partie de toi pensait à la chapelle d'Amberley.

Il ouvrit les portes et Julia vit à travers un voile de larmes une pièce éclairée par des cierges. Silas lui prit la main et la guida dans la chapelle, leurs pas résonnant sur le parquet patiné par les années. Ils passèrent devant les bancs vides, jusqu'à l'autel, au-dessus duquel un vitrail ancien reflétait la lumière des cierges. Dans l'air flottait la présence des siècles passés, une odeur typique des vieilles églises, mélange d'humidité, d'encens, de paix et de foi.

Julia inclina la tête. Silas lui tenait toujours la main. Il ôta leurs deux alliances et lui tendit la sienne. Ils échangèrent alors leurs anneaux en silence.

Nulle cérémonie n'aurait eu plus de profondeur et de sens, songea Julia en s'agenouillant pour prier, comme elle avait appris à le faire quand elle était petite, gagnée par la spiritualité de ces lieux. Silas qui était debout derrière elle, la tête inclinée, semblait éprouver le même élan d'humilité qu'elle.

— Silas, merci.

Ils venaient d'entrer dans leur suite, et il se retourna avec un air interrogateur, le sourcil relevé.

— Pour quoi ?

— Pour ce que tu viens de faire. Pour la chapelle. Pour avoir compris ce que je ressentais. Pour tout.

— Tu as un peu moins d'une heure pour te changer avant le dîner.

Julia se sentit blessée. Elle était sans doute idiote d'être déçue et vexée que Silas change brusquement de sujet, comme si l'expression de son émotion l'avait irrité. Elle s'était sentie si proche de lui dans la chapelle, mais, à présent, elle percevait qu'il avait besoin de reprendre ses distances.

A cet instant, le portable de Silas sonna. Il lui tourna le dos pour répondre, mais elle eut le temps d'entendre une voix féminine s'exclamer :

95

— Silas, mon chéri ! Surprise ! C'est moi, Aimée !

Elle se raidit, mais Silas s'éloignait déjà vers le balcon. Il parlait à voix trop basse pour qu'elle puisse entendre ce qu'il disait.

Aimée de Troite était une très riche héritière new-yorkaise, dont les aventures sentimentales avaient été le sujet de nombreux scandales. Des vidéos de ses ébats avaient apparemment été volées dans son appartement et se trouvaient à présent en accès libre sur Internet. Aimée avait la réputation d'être une jeune femme très capricieuse et difficile à vivre.

Julia se répéta qu'il était normal que Silas connaisse d'autres femmes, qu'il ait des amies et qu'il ait eu des maîtresses. Le fait que l'une d'elles ait choisi de téléphoner à cet instant tombait mal, mais elle ne pouvait pas en vouloir à Silas. Et le fait qu'elle l'appelle « mon chéri » ne voulait rien dire non plus, tout le monde le faisait dans la jet-set !

Dehors, sur le balcon, les doigts de Silas étaient crispés sur son téléphone. Il ignorait comment Aimée avait réussi à obtenir son nouveau numéro de portable, mais il n'allait pas perdre de temps à lui poser la question.

— Silas, comment as-tu pu me faire ça ? Comment as-tu pu te fiancer avec une autre alors que tu sais combien je t'aime ? Je ne la laisserai pas t'avoir… Tu le sais, n'est-ce pas ? Tu es à moi, Silas. A moi !

La voix de la jeune femme devenait de plus en plus aiguë, prenant des accents d'hystérie. Quand elle se mit à hurler, Silas lui raccrocha au nez et éteignit son portable. D'un air sombre, il regagna la chambre, se demandant si Julia avait entendu quelque chose, si elle était fâchée…

Il fronça les sourcils. Son humeur tendre et légère s'était évanouie avec l'appel d'Aimée. Il était logique qu'il ait voulu éviter que Julia ne l'entende parler au téléphone avec une autre femme pendant leur nuit de noces, mais cela ne suffisait pas à expliquer la colère qu'il ressentait parce que Aimée avait violé son intimité.

— Est-ce que tout va bien ? demanda Julia d'une voix détachée.

— Oui, répondit-il brièvement. Pourquoi cette question ?

— Pour rien, mentit-elle.

L'euphorie de Julia était retombée. Elle sentait que Silas avait rétabli une distance entre eux. Pire, une autre femme était à l'origine de son attitude.

En voyant le regard triste de Julia, Silas s'en voulut de gérer si mal la situation.

— J'avais oublié que j'avais promis à Aimée de lui acheter des tickets pour son dîner de charité.

Julia se força à sourire.

— Je sais que tu es sorti avec elle à une époque.

Grâce à Nick, qui s'était fait une joie de le lui révéler, se dit-elle avec amertume.

— Je ne suis *jamais* sorti avec Aimée, répondit Silas fermement. Je la connais, c'est tout.

— Mais cette vidéo d'elle et de toi...

— C'était...

Silas s'interrompit, essayant de maîtriser la colère qui faisait battre le sang à ses tempes. Serait-il donc à jamais poursuivi par la folie malveillante et les mensonges d'Aimée sur leur prétendue relation ?

— Je n'ai pas envie d'en parler, Julia. Je t'ai épousée, cela devrait te suffire.

Julia ne dit rien, mais se sentit troublée par la colère de Silas. Cela lui ressemblait tellement peu. Avait-il quelque chose à cacher ?

Pour l'instant, elle préférait ne plus y penser.

Ils avaient partagé un délicieux dîner tout en parlant à bâtons rompus, et Julia avait peut-être bu un peu trop de champagne. A présent, de retour dans leur chambre, tout son corps vibrait d'attente.

Silas tendit la main pour l'attirer à lui.

Elle ne pensait plus au coup de téléphone qu'il avait reçu tout à l'heure. Après tout, c'était sa nuit de noces, *leur* nuit de noces, et elle ne laisserait personne la gâcher.

— Je n'arrive toujours pas à croire que nous soyons mariés ! murmura-t-elle. Toi et moi, tu te rends compte ?

Silas avait pris son visage dans ses mains et elle ne put rien ajouter car il déposa plusieurs baisers sur sa bouche. Il se mit à lui caresser les lèvres avec la langue, lui arrachant des gémissements de plaisir. Elle se plaqua contre lui. Elle ne portait qu'un paréo en mousseline de soie qu'elle avait noué en robe, se demandant si elle n'avait pas été trop loin en ne mettant pas de sous-vêtements.

Mais à présent, le fait de savoir sa peau si proche de celle de Silas était un puissant aphrodisiaque pour elle.

— Tu es la sensualité incarnée, dit-il d'une voix rauque en passant sa paume sur son sein couvert de soie.

Elle fut incapable de répondre par quoi que ce soit d'autre qu'un mouvement de hanches pour se rapprocher encore de lui.

La soie du paréo était si fine qu'elle voilait à peine le corps de Julia. A chacun de ses gestes, Silas entrevoyait sa peau nue. N'y tenant plus, il écarta l'étoffe et saisit ses hanches. Il baissa la tête pour prendre un des tétons dans sa bouche à travers le mince tissu, le torturant du bout de la langue.

Julia se cabra, incapable de résister au plaisir. Mais celui-ci n'était rien comparé à celui qu'elle éprouva lorsque Silas glissa une main sur son intimité moite, dans une caresse qui lui arracha un cri de volupté, suivi d'autres cris, au fur et à mesure que son geste se faisait de plus en plus précis. Sa jouissance fut si forte qu'elle eut peur de s'évanouir.

— Oh, Silas, c'était merveilleux, chuchota-t-elle en essuyant des larmes d'émotion. Qui aurait cru qu'être mariée avec toi puisse être aussi bon ?

— Je prends ça comme un compliment, dit-il en la soulevant dans ses bras pour la porter jusqu'au lit qui les attendait.

Elle éclata de rire et l'embrassa.

— Et moi je vais prendre ton corps, à moins que tu n'y voies une objection ?

— Aucune objection !

Il venait de la recouvrir de son corps quand le téléphone de la chambre se mit à sonner. Julia se raidit instantanément. Etait-ce encore Aimée qui appelait ?

Silas s'écarta et attrapa le combiné.

— C'était la réception. Ils voulaient savoir si nous avions loué une voiture. Je leur ai dit qu'ils s'étaient trompés de chambre. Alors, où en étions-nous ? demanda-t-il d'une voix douce.

Non, elle ne laisserait pas cette Aimée gâcher ce moment merveilleux, se répéta Julia tandis que Silas la reprenait dans ses bras. Elle ferma les yeux pour ne plus penser à rien d'autre qu'à eux deux et s'abandonner au plaisir de ses mains sur son corps.

Une heure plus tard, quand les dernières vagues d'extase eurent parcouru leurs corps, Julia, blottie dans les bras de Silas, décida qu'il ne pouvait exister bonheur plus complet, et qu'elle avait été stupide de s'inquiéter de ce coup de téléphone. Elle était sur le point de s'endormir quand elle sursauta.

— Silas ! Nous n'avons pas utilisé de préservatif.

— Non, en effet, répondit-il d'une voix calme.

8.

Marbella en septembre : la fin de l'été, quand les touristes sont partis et que les seuls visiteurs sont ceux qui sont assez riches ou assez connus pour savoir que c'est là qu'il faut être à cette époque de l'année... Du moins, c'était ce que la plupart des invités de Dorland devaient penser, songea Julia avec cynisme, tandis que leur limousine passait l'entrée du fameux Club Alfonso, du nom d'un prince européen qui avait fait construire cette propriété ultra-luxueuse pourvue d'un golf, d'un centre de thalasso et d'une véritable petite ville de pavillons privés.

On disait que tous ceux qui séjournaient au Club Alfonso étaient ou deviendraient importants. Julia sourit encore en songeant à quel point cette station balnéaire à la mode était différente de leur hôtel à Rome.

Marbella conservait son statut de lieu à la mode depuis des décennies. Julia soupçonnait que nulle part ailleurs dans le monde, sauf peut-être à Palm Springs, on ne trouvait autant de femmes ayant fait appel à la chirurgie esthétique. L'été, elles venaient ici pour se dorer au soleil, avant de se retirer à l'automne dans une clinique suisse pour se refaire une beauté.

Jeune ou moins jeune, tout le monde arborait un magnifique bronzage, une coiffure à la mode, des lunettes de soleil aux montures strassées et des mocassins Gucci en cuir doré.

Silas avait réservé une des villas privées du club. Tandis qu'ils la visitaient, Julia songea qu'il lui faudrait compléter sa garde-robe. Sa petite valise avait l'air bien triste à côté des montagnes de bagages Louis Vuitton qui sortaient des coffres des autres limousines !

A sa grande joie, leur villa possédait un jardin et même une piscine privée.

— J'ai pensé que ça te ferait plaisir, dit Silas d'un ton qui la fit rire et rougir à la fois.

— Ce n'est pas parce que j'ai dit que j'adorerais nager nue avec toi qu'il fallait que tu rendes cela possible !

— Tu veux dire que tu as changé d'avis ?

— Sûrement pas ! Mais il faut que j'aille trouver Dorland tout à l'heure. Je ne veux pas d'incident comme à Positano, tu comprends. Je n'arrive toujours pas à croire que cela se soit passé.

Elle s'interrompit en voyant l'expression de Silas changer.

— Qu'y a-t-il ? demanda-t-elle.

— J'ai reçu un e-mail de la personne à qui j'ai demandé d'enquêter discrètement sur Blayne et Clé en main.

— Et… ?

— Installons-nous d'abord. Tu dois avoir faim, je vais commander quelque chose au service d'étage, tu veux ?

— Silas, les nouvelles sont si mauvaises ? S'il te plaît, dis-le-moi tout de suite. Je sais que tu cherches à me protéger, mais je ne suis plus une petite fille. Et Lucy est mon amie.

— D'accord, mais asseyons-nous. D'après ce que mon enquêteur a découvert — et j'ai toute confiance en lui — Clé en main a de très gros problèmes financiers. Il semble également que Blayne détourne l'argent de la société.

— Oh non, pauvre Lucy ! s'exclama Julia. Mais comment

est-ce possible ? Elle se plaint toujours que son administrateur ne la laisse pas toucher au capital sans son accord.

— Peut-être, mais il l'a autorisée à avaliser les facilités de caisse de Clé en main. Ce qui signifie que la banque a pu se tourner vers elle pour le règlement des dettes de l'entreprise. Il semblerait en effet que d'importantes sommes aient été soustraites par Blayne, ce qui a engendré un découvert qui a donc dû aller directement dans la poche de Blayne… si Lucy ignore bien ce qu'il fait.

— Elle ne peut pas être au courant ! C'est quelqu'un de foncièrement honnête.

— Peut-être, mais elle aime Blayne. Et s'il a fait pression sur elle…

— Non, quel que soit son amour pour Nick, Lucy n'accepterait jamais de tricher ! Elle n'est pas comme ça. Oh, pauvre Lucy ! s'exclama de nouveau Julia, les larmes aux yeux. C'est affreux. Aimer quelqu'un capable de faire ça. Et Nick… comment a-t-il pu… ? Ce sera horrible pour Lucy lorsqu'elle découvrira ce qu'il a fait.

— Oui, mais tu ne peux pas intervenir.

— Silas, elle est une de mes meilleures amies, protesta-t-elle. Lucy, Carly et moi sommes comme des sœurs. Je ne peux pas laisser Nick la détruire.

— Ce que je viens de te dire n'est pas prouvé. Que penses-tu qu'il arrivera si tu en parles à Lucy et qu'elle ne te croit pas ? Blayne est son mari et elle est folle de lui.

— On doit pourtant pouvoir faire quelque chose.

— Je pourrais peut-être sonder discrètement son administrateur.

— Marcus ? Mais Lucy le déteste.

— Peut-être, mais c'est lui le mieux placé pour faire avancer la situation. J'ai demandé à mon enquêteur de vérifier ses informations et de me rappeler. En attendant, nous ne pouvons rien faire. Blayne était-il censé payer des factures pour la fête de Dorland ? Car dans ce cas, ce qui s'est passé à Positano pourrait se répéter.

— Non, j'ai tout vu directement avec Dorland, Dieu merci !

Julia pensait toujours à Lucy quelques heures plus tard, quand elle frappa à la porte de la suite de Dorland.

— Julia, quel plaisir ! Oh…, s'exclama-t-il en regardant immédiatement la main gauche de la jeune femme. Tu n'as toujours pas de bague ! Ne me dis pas que vos fiançailles sont rompues ?

Elle éclata de rire.

— Non, pas encore, répondit-elle malicieusement.

Dorland fit une moue de dépit.

— Et moi qui croyais qu'il allait t'offrir les bijoux du trésor familial…

— Les assureurs ne seraient pas d'accord.

— Tu dois faire attention, Julia. Il n'y a rien de pire qu'un millionnaire radin.

— Silas n'est pas radin.

— Oh, c'est donc une vraie histoire d'amour… J'en étais sûr ! Le sexe, c'est très bien, mais n'oublie pas, les diamants, c'est mieux.

— A propos, a-t-on retrouvé le collier de chez Tiffany ?

— Non, et ils me harcèlent à ce sujet, tu n'imagines pas. Mais n'en parlons plus. Ce qui m'intéresse en ce moment, c'est ma soirée ! Tout le monde sera là ! Une princesse européenne, un couple de grandes célébrités hollywoodiennes — tu vois de qui je veux parler, n'est-ce pas ? Ils sont tous si connus que je n'ai même pas le droit de murmurer leurs noms. Toute la jet-set sera là, même un certain footballeur international et sa femme. Et devine qui ils emmènent avec eux ?

— Euh… qui ? demanda-t-elle pour lui faire plaisir.

— Jon Belton, excuse-moi du peu !

Julia prit un air impressionné à la mention du célèbre chanteur de rock.

— Oh, Julia, je suis tellement excité ! s'exclama Dorland. Ce sera la soirée de l'année… Bien sûr, *La vie de la jet-set* aura l'exclusivité des photos. Mais ma chérie, retournons à nos affaires. J'ai déjà parlé aux responsables de l'hôtel et réclamé un piano. Tu sais, je pense que ce serait bien d'avoir des ballons avec un motif de piano… Oui, des pianos blancs sur fond noir, avec peut-être des incrustations en strass. Ce serait délicieusement rétro et kitsch. Je les vois déjà !

Julia aussi, hélas…

— Crois-tu vraiment que ce soit une bonne idée ? demanda-t-elle avec prudence.

— Bien sûr ! Pourquoi, n'es-tu pas de mon avis ?

— J'ai peur que ça fasse un tout petit peu trop…

— Julia, je suis Dorland Chesterfield : je n'en ferai *jamais* trop ! répondit-il théâtralement.

— Alors, comment ça se passe ?

Julia secoua la tête. Silas l'avait attendue pendant qu'elle discutait dans la suite de Dorland, et ils regagnaient à présent leur villa, main dans la main, à travers les jardins de l'hôtel.

— Dorland va porter des lentilles de contact turquoise. Et il va se faire vaporiser un faux bronzage.

— Je commence à craindre le pire.

— Il a commandé pour l'occasion une chemise sur mesure chez Roberto Cavalli, avec laquelle il portera un costume blanc. Silas, ce n'est pas drôle, protesta-t-elle en le voyant rire.

104

Il a même acheté un caniche blanc et un collier de diamants et de turquoises.

— Pour qui ?

— Pour le caniche, bien sûr. Silas, arrête de rire ! Silas ! s'exclama-t-elle quand il s'arrêta pour l'attirer à lui.

Elle plongea son regard dans le sien.

— Nous sommes presque arrivés à la villa, dit-elle dans un souffle en sentant ses mains courir sur son corps.

— Je n'en peux plus d'attendre.

Sa peau avait l'odeur d'une chaude nuit d'été, cette odeur qui n'appartenait qu'à lui, et ses lèvres étaient fraîches et légèrement salées.

S'abandonnant à son baiser, Julia enroula les bras autour de son cou, sentant des frissons d'excitation gagner tout son corps. Ce ne serait pas toujours ainsi entre eux, bien sûr, se dit-elle. Un jour, cette passion sauvage et envoûtante deviendrait une chaleur familière et réconfortante. Un jour. Dans très, très longtemps... Quand ils seraient vieux...

Vieillir avec Silas. Passer le reste de leur vie ensemble. Elle avait tant de chance ! Elle le serra plus fort contre elle, l'embrassant avec passion. Elle poussa un petit gémissement rauque quand elle le sentit déboutonner son short pour y glisser une main.

Il put alors sentir combien elle le désirait déjà. Tout son corps ondulait au rythme de ses caresses. Elle tremblait d'avance en pensant aux minutes qui allaient suivre. Il savait si bien comment la combler, leurs corps s'accordaient si bien...

Sentant qu'elle était proche de la jouissance, il retira doucement sa main, l'embrassa tendrement et, la tenant serrée contre lui, l'entraîna jusqu'à leur villa.

9.

Julia était allongée sur le lit, près de Silas, contemplant rêveusement le soleil du petit matin qui jouait sur sa peau nue. Il avait un corps parfait, et le seul fait de le regarder la plongeait dans un bonheur émerveillé. Elle n'aurait jamais imaginé atteindre un jour ce sentiment de plénitude et de joie.

— Je croyais que tu devais te lever tôt aujourd'hui ?

— Hum… En effet, admit-elle à regret.

Elle savait qu'elle allait être prise toute la journée par la grande soirée de Dorland, et il était convenu que Silas travaillerait à ses affaires de son côté. Mais pour l'instant, elle avait encore envie de profiter de sa présence… Elle tendit la main et se mit à dessiner des arabesques sur son épaule, avant de murmurer à son oreille :

— Devine ce que je dessine… Si tu te trompes, tu auras un gage.

— Quel gage ?

— Soit me masser les pieds, soit me faire l'amour.

— Et si je gagne ?

— Tu gagnes le droit de me masser les pieds *et* de me faire l'amour !

Silas se redressa et les draps glissèrent pour révéler son corps nu et déjà tendu, qu'elle couva d'un regard plein d'adoration. Il prit un de ses seins à pleine main, avant de venir le torturer délicatement du bout de la langue, ce qui la chavira de plaisir.

Il l'attira ensuite à lui, et elle se retrouva à califourchon au-dessus de lui, offerte à ses caresses.

Silas se dit qu'elle était vraiment unique. Il avait certes eu des expériences avant elle, et cela avait souvent été très agréable, mais il n'avait jamais fait l'amour avec une femme aussi ouverte, spontanée et enthousiaste que Julia. Elle lui montrait de mille façons le plaisir qu'elle ressentait, ce qui décuplait le sien.

Il fut sorti de ses pensées par les mouvements lascifs de Julia, qui lui prodiguait une caresse de tout son corps, jusqu'à ce qu'elle le prenne en elle avec un cri de ravissement. Il dut faire appel à des trésors de maîtrise pour ne pas laisser exploser son plaisir tout de suite, tant la sensation était forte.

Mais Julia semblait indifférente à ses efforts, le prenant en elle de plus en plus profondément, de plus en plus rapidement. Sa vue se brouilla. Il se concentra sur le plaisir de Julia, agrippant ses hanches pour se retenir. Elle fut bientôt submergée par l'orgasme et il céda lui aussi.

En apparence, Julia était tout à fait sérieuse et professionnelle, mais à l'intérieur, elle était encore pleine de la sensualité qu'elle venait de partager avec Silas. « Comme c'était bon », songea-t-elle tout en écoutant Charles, un Anglais qui lui racontait dans les moindres détails la fête d'anniversaire à laquelle il avait assisté à Venise quelques mois plus tôt.

— Et nous avons tous été conduits à la réception dans de magnifiques gondoles sur les canaux. Tout le monde était costumé. C'était tout à fait dans l'esprit décadent des années trente… J'ai entendu dire qu'une chaîne de télé américaine allait filmer la soirée de Dorland pour un documentaire, est-ce vrai ?

— Je n'en sais rien, Charles. Il faudra que vous posiez la question à Dorland.

— Et qui y aura-t-il de connu ?

— Je n'ai pas encore vu la liste des invités, mentit-elle.

— Julia… ma chère !

A ce moment, Charles fut rejoint par un trio de femmes aux visages tellement liftés qu'ils en étaient immobiles.

— C'est tellement futé de votre part, Julia, d'avoir mis le grappin sur Silas ! fit l'une d'elles en la détaillant des pieds à la tête.

Ces femmes constituaient une nouvelle catégorie sociale, celle des quinquagénaires divorcées, prêtes à tout pour qu'on leur donne vingt ans de moins. Tandis que leurs ex-maris dépensaient leur argent à séduire des femmes plus jeunes, elles utilisaient leur pension alimentaire pour essayer de remonter le temps. Malheureusement, toutes n'y parvenaient pas.

— Oui, n'est-ce pas ? répondit Julia avec un grand sourire.

— Tout cet argent… et puis le titre. Et surtout, ses talents au lit !

Peu désireuse de poursuivre la conversation avec ces harpies que la jalousie rendait agressives, Julia les quitta pour aller voir où en était la décoration du grand chapiteau qui avait été monté pour l'occasion.

Dorland avait stipulé que chaque invité devrait être vêtu d'une tenue dans laquelle il avait fait la une d'un magazine, ou bien de la copie d'un vêtement célèbre. Se doutant qu'au moins la moitié des femmes présentes porterait des copies de tenues de stars, Julia avait opté pour un mobilier et des tons sobres pour la décoration, afin de mettre en valeur toutes ces toilettes.

A l'entrée du chapiteau, des ouvriers achevaient d'installer la fontaine à champagne pour laquelle Dorland avait craqué. Ce dernier gesticulait devant quelques créatures blondes ultra-minces qui promenaient leurs petits chiens soigneusement toilettés.

Assourdie par les petits cris aigus des chiens et de leurs maîtresses, Julia ressortit en hâte et s'arrêta net devant Nick qui lui barrait le passage.

— Il paraît que tu as vraiment cafouillé à Positano.

— Quelqu'un a « cafouillé », oui, comme tu dis, répliqua-t-elle sèchement.

Elle crut un instant que Nick allait exiger qu'elle explique ce sous-entendu, mais il regarda sa main gauche et dit d'une voix moqueuse :

— Alors, il ne t'a toujours pas offert de bague ?

— En réalité, si, répondit-elle, ne mentant qu'à moitié.

Silas ne lui avait-il pas dit qu'il voulait qu'elle porte le diamant de Monckford ?

— J'avoue que tu m'as surpris, Julia. Je n'aurais jamais cru qu'une fille comme toi réussirait à avoir un homme comme Silas. T'a-t-il parlé d'Aimée de Troite ?

— Peu importe ce qu'elle a pu représenter pour Silas, c'est du passé maintenant.

— C'est ce que Silas t'a dit. Selon elle, elle fait partie de son présent et de son avenir... mais bien sûr, il ne t'en a pas parlé.

Mais comment avait-elle pu un jour trouver Nick séduisant ? Il était odieux, vil, écœurant, et elle détestait ce qu'il était en train de faire à Lucy.

— Non, en effet, répondit-elle froidement. Mais il m'a parlé de toi.

— Comment cela ?

— Tu sais très bien ce que je veux dire. Silas a enquêté sur toi et sur la société. Comment as-tu pu faire ça à Lucy, Nick ?

— Qu'est-ce que tu as dit à Lucy ?

— Rien… Pour l'instant. Mais je…

— Julia, te voilà ! Tu as une minute ?

— Bien sûr, Dorland, répondit Julia en souriant, profitant de l'occasion pour s'éloigner.

Nick avait-il parlé d'Aimée juste pour lui faire du mal ? Ou bien cette jeune femme avait-elle de vraies raisons de prétendre qu'elle entretenait toujours une relation avec Silas ?

Le cœur de Julia battait douloureusement dans sa poitrine. Elle avait la nausée, la tête lui tournait. Un mélange d'anxiété, de confusion et d'adrénaline pulsait dans ses veines. Désespérément, elle se raccrochait à l'idée que ce que Silas avait pu faire avant d'être avec elle ne regardait que lui. Aimée n'était pas le genre de femme avec qui elle aurait imaginé Silas, mais il était bel et bien sorti avec elle. Et il y avait ces vidéos volées, sur lesquelles il figurait…

Nick n'avait cherché qu'à semer le trouble dans son esprit. Et puis, Silas avait le droit d'avoir un passé. Mais elle avait besoin de savoir si elle était la seule à figurer dans son présent et dans son avenir ! Car elle était profondément, passionnément, totalement amoureuse de lui…

Quand elle arriva enfin à la villa, Silas l'attendait.

— Désolée d'avoir été si longue. Dorland est resté à parler pendant des heures de Jon Belton. Je crois qu'il a un faible pour lui. Oh, et puis, tu sais, Nick est là.

— Blayne ? Qu'est-ce qu'il fait ici ?

— Je ne sais pas. Dorland nous a interrompus avant que j'aie pu le lui demander. Je n'arrive pas à comprendre comment je n'ai pas vu plus tôt combien ce type était odieux. Je lui ai dit que nous savions ce qu'il trafiquait, et combien je le détestais pour ce qu'il faisait à Lucy.

— N'avions-nous pas convenu que nous ne ferions rien sans preuves ?

— Si, c'est vrai. Mais il m'a rendue si furieuse que cela m'a échappé. Il m'a dit qu'il ne comprenait pas ce que tu pouvais me trouver, et puis il s'est mis à parler d'Aimée de Troite…

Julia leva les yeux vers Silas, mais celui-ci s'était détourné.

S'il cherchait à éviter de lui parler d'Aimée, c'est qu'il devait toujours avoir des sentiments pour elle, songea-t-elle, saisie d'un mauvais pressentiment. Si leur histoire avait été réellement terminée, il n'aurait eu aucun mal à en parler…

Ses pensées s'enchaînaient rapidement. Soudain, elle arriva à la conclusion que Silas s'était marié avec elle par frustration ou par dépit.

— Tu m'as épousée parce que tu ne pouvais pas l'avoir, c'est ça ? Elle t'a rejeté et pour la rendre jalouse tu as fait semblant de te fiancer avec moi ! Je me fiche de savoir combien de vidéos tu as tournées avec elle, c'est…

Elle s'interrompit en le voyant s'éloigner.

— Silas ! cria-t-elle.

— Mais qu'est-ce qui te prend ? demanda-t-il, furieux. Tu es ma femme, et d'ailleurs…

— D'ailleurs… ? Tu as *juste* couché avec elle, n'est-ce pas ? C'est ce que tu vas prétendre ?

— Julia, arrête cette crise d'hystérie, tu veux ? Je t'ai épousée…

— Mais tu as couché avec Aimée ! Tout le monde le sait, et presque tout le monde a vu la vidéo.

La porte qui claqua violemment derrière Silas mit fin à leur dispute.

La soirée de Dorland allait commencer dans une demi-heure. Il était temps pour Julia de regagner le chapiteau, bien qu'elle n'ait pas pu s'expliquer avec Silas.

En se préparant, elle n'avait cessé d'espérer qu'il reviendrait dans la chambre. Mais il n'avait pas reparu, et son amour-propre l'empêchait d'aller à sa recherche. Après tout, ce n'était pas elle qui était en tort.

Elle regarda sa montre : elle ne pouvait plus attendre. Elle s'attarda tout de même dans le hall d'entrée de la villa et fit tomber ses clés sur le sol carrelé pour avertir Silas de sa présence, au cas où il voudrait s'excuser. Mais il ne se montra pas.

Elle ne devait pas pleurer maintenant, se répéta-t-elle en ouvrant la porte, clignant des yeux pour retenir ses larmes.

Silas détacha les yeux de l'écran de son ordinateur de poche et eut le temps d'apercevoir Julia partir en courant de la villa. Elle portait une longue robe noire qui moulait sensuellement son corps. Sur ses hanches, elle avait noué un foulard Hermès et ajouté par-dessus une grosse ceinture incrustée de turquoises. Tout à fait le style de Julia... Il ne put retenir un sourire. Elle serait magnifique avec les bijoux du maharadjah. Elle trouverait sûrement une façon originale de les porter qui choquerait les puristes. Il s'entendit rire et se reprit, fronçant les sourcils.

Il ne pouvait nier que Julia produisait un effet extraordinaire sur lui. Il aurait dû être en colère contre elle, mais il riait. Il avait même envie de poser son ordinateur et de courir après elle. C'était la femme la plus exaspérante qui puisse être, d'un optimisme à toute épreuve qui lui faisait voir la vie en rose. Elle était irrationnelle, têtue et parfois complètement insensée. Avec elle, il ressentait...

Ressentir ? Cela ne lui ressemblait pas. Il avait l'habitude d'analyser, d'appliquer des raisonnements aux situations, tout comme il l'avait fait pour leur mariage. Mais comment appliquer un raisonnement logique à quelqu'un d'aussi imprévisible que Julia ? Elle avait besoin qu'on veille sur elle. Voilà pourquoi— et c'était l'unique raison — il allait prendre une douche et se changer pour aller à cette ridicule fête en l'honneur de Dorland.

Il était presque minuit. La fête battait son plein depuis des heures et toujours aucun signe de Silas… Julia, qui se tenait un peu à l'écart de la fête, l'avait cherché des yeux toute la soirée.

— Julia…

Elle se raidit en voyant Nick approcher avec un groupe de jeunes gens qui semblaient complètement ivres.

— Je t'amène des admirateurs qui voudraient te saluer.

Les adolescents, fils d'invités de Dorland, rougirent et se mirent à rire bêtement, sous l'emprise de l'alcool.

— Vous passez une bonne soirée ? demanda poliment Julia, cherchant toujours Silas du regard.

— Quelqu'un veut du champagne ? demanda Nick en brandissant une bouteille.

— Pas pour moi, merci, répondit Julia en montrant sa flûte encore à moitié pleine.

— Allons ! Bien sûr que tu en veux, insista-t-il en lui prenant sa flûte des mains pour la poser sur une table, tandis qu'il ouvrait la bouteille.

Il remplit les verres.

Julia prit une gorgée en essayant de continuer à sourire. Les jeunes gens s'étaient approchés d'elle et tentaient de lui faire du charme.

— On vous a déjà dit que vous aviez une très jolie poitrine ? lui demanda l'un d'eux.

Faisant semblant de ne pas avoir entendu, elle s'écarta un

peu. Elle finit son champagne et posa sa flûte sur une table, prête à s'en aller.

— Ce ne serait pas Silas, là-bas ? dit Nick.

Elle tourna immédiatement la tête dans la direction qu'il lui avait indiquée, vers le chapiteau.

Dans l'obscurité, de l'autre côté des jardins envahis par la foule des invités, Silas fronça les sourcils en apercevant Julia avec Nick et un groupe de jeunes hommes. Il la vit poser son verre et essayer de s'éloigner du groupe.

Elle lui tournait le dos, mais quelque chose dans sa posture lui laissait penser qu'elle se sentait prise au piège. Soudain, Blayne lui dit quelque chose qui la fit regarder au loin. Silas vit alors distinctement un des hommes remplir de nouveau son verre de champagne et y faire glisser un comprimé.

Inquiète, Julia continuait à regarder dans la direction que Nick lui avait indiquée, sans voir Silas.

— Julia !

Même s'il savait qu'elle ne pouvait pas l'entendre, Silas cria son prénom pour la prévenir, tout en fendant la foule pour la rejoindre.

— Allez, Julia, finis ton verre ! insista Nick en lui tendant sa flûte.

A contrecœur, elle se retourna et but une gorgée pour avoir la paix.

— Il faut vraiment que j'y aille. Dorland doit se demander où je suis.

— Oh ! Mais nous n'allons pas déjà te laisser partir, hein, les gars ? Allez, finis ton verre… Voilà, c'est bien.

Julia vit une lueur inquiétante dans les yeux de Nick. Une sorte d'excitation et de cruauté qui lui donnait envie de prendre ses jambes à son cou. Quant aux jeunes qui l'accompagnaient, sans doute charmants en temps normal, l'alcool les rendait grossiers et entreprenants.

Nick lui avait pris le bras, et les garçons s'étaient encore rapprochés d'elle. Pressée de s'en aller sans faire d'histoire, elle prit encore une gorgée de champagne.

— Allez, il faut que tu boives tout, n'est-ce pas, les gars ?

Julia entendait Nick parler, mais les mots lui semblaient étrangement lointains. Sa bouche semblait engourdie, son corps devenait lourd, elle ne voyait plus que des images floues.

Elle avait la sensation d'être entraînée dans un tourbillon obscur, d'où elle ne percevait plus que des rires avinés, et des mains qui se posaient sur elle et tiraient sur ses vêtements.

— Qu'est-ce que vous lui avez donné ?

Silas tenait Julia dans ses bras, le poing droit rougi par le sang de Nick. Celui-ci gisait au sol, au milieu de chaises en fer et de jardinières, et frottait sa mâchoire meurtrie. Les jeunes gens les moins soûls avaient vite recouvré leurs esprits, et ils étaient blêmes de peur.

— C'est du GHB, vous savez, on appelle ça la pilule de l'oubli, avoua l'un d'eux, honteux. Une bonne dose, parce que Nick en a rajouté.

— Nick nous avait dit qu'elle était d'accord, dit un autre, et qu'il nous couvrirait si on l'aidait.

Silas vit Blayne réussir à se lever et détaler, mais il n'allait pas laisser Julia pour lui courir après. Non, il ne voulait plus la lâcher. Son cœur s'était douloureusement serré dans sa poitrine en l'entendant gémir de panique au moment où il posait les mains sur elle. Dans un dernier sursaut, elle avait désespérément essayé de le repousser...

L'idée de ce qui aurait pu arriver à Julia s'il n'était pas

arrivé à temps le remplissait de fureur et d'angoisse. Il la serra plus fort contre lui, dans un geste protecteur, tenant son corps inanimé dans ses bras.

— Toi, va chercher un médecin et amène-le ici, ordonna-t-il d'une voix sombre au moins soûl des adolescents. Quant aux autres… Sachez que je n'oublierai pas ce qui s'est passé ce soir.

10.

Silas se tenait près du lit où dormait Julia. Il avait veillé toute la nuit sur un fauteuil, pour être là quand elle se réveillerait et qu'elle aurait besoin de lui. A présent, les rais de lumière qui passaient à travers les stores et illuminaient le lit contrastaient avec la noirceur de ses pensées. Certes, Julia était là, saine et sauve, mais elle avait failli vivre le pire. Et cela aurait été de sa faute à lui. Il aurait pu se réconcilier avec elle avant qu'elle ne quitte la villa, mais il ne l'avait pas fait, préférant la punir pour avoir posé des questions auxquelles il ne voulait pas répondre.

C'était sa faute. Lui qui s'était cru intouchable et irréprochable était maintenant étreint par l'émotion et la douleur.

Julia émit un petit son et il se pencha aussitôt vers elle. Le médecin qui l'avait examinée la veille lui avait assuré que la drogue n'aurait pas d'effet à long terme.

— Mais, avait-il prévenu d'une voix grave, à court terme, elle peut souffrir de symptômes tels que des nausées ou des vertiges. Plus gênant, elle peut être sujette à des flash-backs, des accès de panique, voire de paranoïa. Elle se sentira vulnérable et parfois menacée. Heureusement, vous êtes arrivé à temps, vous pourrez donc la rassurer et lui dire qu'elle ne doit pas avoir peur de ce dont elle ne se souvient pas.

Le médecin lui avait expliqué que l'aspect le plus pervers de

117

cette drogue était que les victimes ne pouvaient pas se souvenir de ce qui s'était passé. En effet, des images pouvaient revenir, mais elles restaient vagues. Les femmes victimes de viol dans ces circonstances étaient ainsi torturées par les zones d'ombre de leur mémoire. Ce traumatisme pouvait parfois conduire au suicide. Julia avait donc eu beaucoup de chance.

Silas fit un mouvement brusque pour chasser ces sombres pensées, et vint s'asseoir au bord du lit. La jeune femme ouvrit aussitôt les yeux et le regarda. Elle lui sourit, les yeux pleins de chaleur et d'amour. Mais son expression changea subitement, et son regard devint sombre et douloureux. Silas vit la peur et la confusion s'emparer d'elle et il posa une main sur son bras pour la réconforter. Il sentait son cœur tambouriner sous l'effet d'une violente émotion.

— Non, Silas, je t'en prie, murmura Julia en se dégageant. Ne me touche pas. Quelque chose d'horrible est arrivé.

Ses yeux s'emplirent de larmes, et son regard plein de détresse déchira le cœur de Silas.

— Julia, tout va bien…

— Non, non. Tu ne sais pas ce qui s'est passé.

En larmes, Julia porta les mains à son visage. Elle se sentait si faible, son esprit était si confus. Elle avait l'impression que quelque chose d'affreux, d'insupportable lui était arrivé, mais elle était incapable de s'en rappeler. Les sensations se mêlaient, l'image de Nick qui la regardait avec un sourire cruel et pervers, des rires, des mains d'hommes qui la touchaient. Tout se bousculait dans sa tête et l'entraînait dans une spirale de panique.

— Julia, tout va bien, je te le promets.

Silas avait du mal à parler, la gorge serrée par la colère, par la culpabilité et par une émotion qu'il n'arrivait pas à définir, qui le poussait à la protéger et à la réconforter.

— Non ! s'exclama-t-elle en secouant la tête. Rien ne sera

plus comme avant, Silas. Tu ne sais pas ce qui s'est passé. Nick…

— Il ne s'est rien passé, dit-il en lui prenant la main.

— Si, mais je n'arrive pas à me souvenir. Je me rappelle seulement que Nick m'a fait boire du champagne. Je ne voulais pas mais il a insisté. Et ensuite… J'ai peur… Il faut que nous divorcions, Silas.

— Comment ?

— Je sais ce qui se passe quand une femme est droguée et que… Ensuite tout le monde dit qu'elle était consentante… Nick me hait, et s'il a… et les garçons…

— Julia, ne te torture pas comme ça. Il ne s'est rien passé ! affirma-t-il.

— Tu n'arrêtes pas de le dire, mais tu ne sais pas…

— Si, je sais ! J'ai vu Blayne mettre la drogue dans ton verre. Quand je suis arrivé, tu l'avais déjà bu et tu étais sur le point de t'évanouir, c'est tout ce qui s'est passé.

— Mais je n'en saurai jamais rien, n'est-ce pas ? Je ne saurai jamais si c'est la vérité ou si tu dis ça pour me protéger. Je vais passer le reste de ma vie à me demander si tu restes marié avec moi parce que tu en as envie ou si c'est parce que tu t'y sens obligé. Je ne pourrai pas le supporter, Silas. Ils m'ont touchée ! J'ai senti leurs mains…

— C'était *mes* mains, Julia, je te jure que c'est la vérité. Je comprends ce que tu peux ressentir, mais j'avoue que je n'aime pas penser que tu ne me fais pas confiance.

— J'ai peur, Silas, et je me sens salie. Comment pourrais-je encore faire l'amour avec toi alors que j'ignore ce qui a pu se passer dans mon propre corps ?

— Ton corps est exactement comme hier après-midi quand tu es sortie de la villa. Je n'ai aucune raison de ne plus vouloir te faire l'amour, Julia. Et si tu as besoin que je te le prouve…

119

— Où est Nick maintenant ? demanda-t-elle sans répondre à sa proposition.

— Je n'en ai aucune idée. Le docteur Salves m'a expliqué que si tu veux porter plainte contre Blayne…

— Non ! l'arrêta-t-elle violemment. Comment pourrais-je faire ça alors qu'il est marié à Lucy ? Oh, j'ai mal au cœur, j'ai la nausée…

La voyant trembler de plus en plus fort, Silas ne perdit pas de temps et la souleva dans ses bras pour l'emmener à la salle de bains.

Julia regardait par la fenêtre de la chambre. Silas était assis au bord de la piscine, en short malgré la nuit tombante. Elle l'entendait parler, sans distinguer ce qu'il disait dans son portable. Cela faisait une semaine qu'elle avait été droguée. Deux jours plus tôt, le docteur Salves lui avait dit que, physiquement, elle était totalement remise. Elle lui avait confié que ses crises de panique commençaient à s'espacer. Mais malgré cela, elle était toujours hantée par la peur que Silas ait pu lui mentir en lui disant qu'il ne lui était rien arrivé.

Légèrement tremblante, elle se dirigea vers lui. Quand il la vit approcher, Silas éteignit son BlackBerry et se leva, la laissant arriver jusqu'à lui.

— Silas, raconte-moi encore ce qui s'est passé quand… Je ne supporte pas de ne pas me souvenir ! Le docteur Salves dit que je ne retrouverai peut-être jamais la mémoire de ce moment. Tu ne cesses de me répéter qu'il ne s'est rien passé, mais…

Malgré elle, elle tressaillit quand Silas lui prit la main, mais il ne la laissa pas s'échapper.

— Quand je t'ai épousée, j'ai pris certains engagements.

— Oui, je sais, et c'est pour ça que j'ai peur que tu cherches à me protéger.

— Un de ces engagements, poursuivit-il, est de faire en sorte que notre relation, notre mariage, ait les bases les plus solides qui soient. Pour moi, il s'agit de confiance et d'honnêteté. La confiance est à double sens, Julia. On peut la donner spontanément, ou l'acquérir. Mais la personne qui donne sa confiance, tout comme celle qui la reçoit, doit l'honorer. Je sais que tu feras honneur à notre mariage parce que je sais quelle personne tu es, et je sais, sans que cela ait été dit, que tu feras passer notre mariage avant tout. Je te fais cette confiance parce que je sais que je le peux, parce que je te connais. Et je te promets que tu peux avoir la même confiance en moi. En effet, je pense que mon rôle est de te protéger, et je ne me pardonne pas de ne pas avoir pu empêcher ce qui s'est passé dès le début. Mais je ne te protégerais pas en te mentant et en te laissant avec tes peurs et tes doutes. Si tu avais été abusée physiquement, de quelque manière que ce soit, je te l'aurais dit. Mais ce n'est pas le cas. Je suis arrivé au moment où tu t'évanouissais et les seules mains qui t'ont touchée sont les miennes. Tu n'as pas subi d'abus, encore moins de viol, c'est la stricte vérité. Je te le jure. Je ne peux pas te rendre la mémoire que tu as perdue, mais je peux te promettre que tu pourras toujours avoir confiance en moi, tout comme je sais que je pourrai toujours te faire confiance.

Les yeux de Julia s'emplirent de larmes. Comment pouvait-elle refuser le précieux cadeau que Silas lui offrait ? Elle se souvenait comment elle l'avait évité ce matin, refusant de se laisser embrasser, lui expliquant qu'elle se sentait toujours souillée, même si le médecin lui avait assuré qu'elle était en parfaite santé.

— Julia ?

Incapable de parler, elle secoua la tête et tourna les talons pour rentrer en courant dans la villa.

Une fois dans la chambre à coucher, Julia regarda Silas se diriger à l'autre extrémité de la piscine. L'éclairage subtil du jardin illuminait la piscine et lui permettait de distinguer clairement les lignes de son corps, la largeur puissante de ses épaules qu'elle aimait tant parce que leur virilité la rassurait, la fermeté de son torse qui formait un V parfait. Le short noir de surfeur qu'il portait mettait en valeur ses hanches étroites. Silas avait un corps très musclé et très fin à la fois.

Elle le désirait tellement ! Mais en même temps, la simple idée d'un rapport intime lui donnait la nausée. Même si Silas lui assurait que personne ne l'avait violée, Nick avait réussi à abîmer la beauté de sa relation sensuelle avec Silas. Et cette relation avait eu tellement d'importance entre eux...

Mais allait-elle laisser Nick lui faire subir ça ? Etait-elle vraiment aussi faible pour le laisser détruire son mariage ? Ou bien était-elle assez forte pour avoir confiance en Silas ? C'était à elle de le décider.

Dans le jardin, Silas faisait des longueurs dans la piscine, enchaînant des mouvements de crawl puissants qui fendaient l'eau.

Elle s'éloigna de la fenêtre.

Le mariage métamorphosait profondément la façon de penser d'un homme. Il ne pouvait pas y avoir d'autre explication à ce que Silas ressentait en ce moment. Le temps que Julia se remette, la logique aurait voulu qu'il retourne à New York, où une montagne de travail l'attendait, plutôt que de rester ici. Et pourtant il était là, à faire des longueurs dans la piscine pour essayer d'oublier le désir impérieux qu'il éprouvait pour elle.

Mais aucun exercice physique ne parviendrait à apaiser son esprit tourmenté…

La culpabilité, le sentiment d'impuissance et la colère qu'il ressentait étaient indescriptibles. Il aurait voulu prendre Julia dans ses bras et la tenir à l'abri de tous les dangers. Et en même temps, il avait envie de la posséder, de ramener à la vie l'amante joyeuse et sensuelle qui, il le réalisait seulement maintenant, l'avait comblé comme aucune femme ne l'avait jamais fait. Il avait envie de lui dire que rien ne le ferait jamais divorcer. Ce n'était pas possible, il ne pouvait tout simplement plus envisager la vie sans elle. Il voulait retrouver la Julia qu'elle était, celle qui riait, qui plaisantait et qui ensoleillait les heures qu'ils passaient ensemble. Cela lui manquait terriblement…

Il n'arrivait à penser à autre chose qu'à Julia. Elle occupait tout son esprit, à tel point qu'il était incapable de réfléchir normalement. Il se rassurait en se disant que c'était parce qu'elle représentait un problème auquel il fallait trouver une solution, parce que la situation présente interrompait le cours tranquille de l'existence qu'il avait prévue pour eux. Pourtant, ce matin, quand elle avait reculé au moment où il avait voulu l'embrasser, les yeux pleins de larmes, il avait failli pleurer lui aussi.

Et un homme ne pleurait pas. Il trouvait des solutions.

— Silas…

Il cessa de nager et se retourna pour regarder en direction de Julia, qui se tenait debout au bord de la piscine, en maillot de bain une pièce, échancré sur le devant.

— J'avais envie de te rejoindre, dit-elle avant de tendre les bras. Attrape-moi !

Elle plongea dans l'eau. La sensation de son corps dans ses bras augmenta le désir qui le torturait. Elle se libéra aussitôt et commença à nager pour s'échapper, mais elle n'était pas aussi bonne nageuse que lui.

Il prit une profonde inspiration et se propulsa sous l'eau en un mouvement puissant. Il saisit alors ses chevilles et l'attira vers le fond.

L'air parfumé de la nuit, la chaleur de l'eau et le contact des mains de Silas sur son corps auraient auparavant suffi à lui faire éprouver les prémices de l'orgasme, songea Julia en fermant les yeux. Mais elle ne pouvait ignorer ce néant qui la paralysait.

Les bras enroulés autour de Silas, elle sentit le désir puissant qui émanait de lui tandis qu'il les faisait remonter à la surface d'un battement de pied.

Il l'embrassa, et elle répondit mécaniquement, entrouvrant docilement les lèvres, fermant les yeux, tandis que la main libre de Silas la caressait doucement et venait se refermer sur son sein.

Elle s'écarta immédiatement de lui et nagea jusqu'à l'extrémité du bassin où elle avait pied.

Silas la suivit et la reprit dans ses bras. Son corps était chaud et puissant contre le sien, et un petit frisson, qui n'était ni du désespoir, ni de la douleur, parcourut tout son corps.

Elle se pressa contre lui pour ne pas éviter la sensation de son érection contre son ventre. Elle se concentra alors sur des images du bonheur dont elle se souvenait mais qu'elle ne ressentait plus. Mentalement, elle se représenta son corps viril, son torse musclé, sa peau bronzée, son sexe si doux et si puissant à la fois. Elle s'imagina alors le toucher, le caresser, l'embrasser, le lécher. Pendant tout ce temps, elle se répétait qu'il s'agissait de Silas. Silas. Silas…

Il l'attira tout près de lui, et fit glisser les bretelles de son maillot de bain pour exposer ses seins aux pointes durcies à la lumière douce de la lune. Puis il pencha la tête pour l'embrasser.

Elle enroula les bras autour de lui et lui rendit son baiser avec la fureur du désespoir.

Ce fut lui qui interrompit leur baiser pour cueillir ses seins au creux de ses paumes et caresser de sa bouche un téton puis l'autre, enveloppant sa peau fraîche de la délicieuse chaleur de ses lèvres. Julia restait sur ses gardes, prête à affronter les flash-backs qui l'effrayaient et provoquaient ses crises de panique.

Silas l'entraîna en dehors de la piscine, jusqu'aux chaises longues aux coussins confortables. Il la souleva et la déposa sur l'une d'elles avant de saisir une serviette pour la sécher, tout en lui ôtant son maillot de bain. Malgré elle, son corps se cabra. Il était en train de l'emmener sur un terrain qui l'effrayait parce qu'elle ne savait pas ce qu'elle allait y trouver, mais elle ne pouvait pas l'en empêcher, car son corps ne l'écoutait plus.

Il avait retiré son propre maillot et elle ne put se retenir d'admirer son érection. Il s'agenouilla au-dessus d'elle et elle tendit la main pour le toucher, mais il l'esquiva, écartant ses jambes d'une main pour effleurer du bout des lèvres l'intérieur de ses cuisses, provoquant une délicieuse onde de plaisir en elle. Sa langue poursuivit la caresse en remontant vers le cœur de son intimité. Elle s'ouvrit un peu plus, avec un soupir de ravissement. Elle sentit tout son corps commencer à pulser, gorgé de plaisir. Elle se mit alors à crier, s'abandonnant à la sensation, balayant toutes les craintes qu'elle avait pu avoir sur sa capacité à jouir de nouveau.

Il n'y avait aucun démon caché, aucune zone d'ombre qui l'attendait. Il n'y avait que Silas et elle, et un désir impérieux de partager avec lui son bonheur et le plaisir qu'il lui donnait.

— C'était fantastique, dit-elle d'une voix tremblante, les yeux pleins de larmes de bonheur et de soulagement.

Ils étaient allongés côte à côte sur la chaise longue. Silas se pencha sur elle, embrassa doucement les larmes qui coulaient sur son visage avant d'effleurer ses lèvres.

Cela avait été fantastique, il le reconnaissait. Fantastique, merveilleux, parfait. Il aurait voulu rester allongé ainsi près d'elle toute sa vie, à remercier le ciel pour ce qu'elle était et ce qu'elle lui avait donné.

Tout à l'heure, lorsqu'il l'avait pénétrée et qu'elle l'avait supplié de la prendre plus fort, il avait été envahi par une profonde sensation de respect et d'humilité. Et quand, quelques instants plus tard, il avait explosé en elle, cette impression s'était faite plus intense encore.

Elle était son âme sœur, la seule femme qui pouvait l'émouvoir à ce point. Sans elle sa vie serait vide et n'aurait plus aucun sens. Etait-ce cela que l'on ressentait quand on aimait quelqu'un ?

11.

Julia sourit avec satisfaction en enfilant les chaussures — si tendance ! — que Silas lui avait montrées quelques jours plus tôt lors d'une promenade à Marbella.

Elle avait ri, refusant de se laisser tenter, mais ce matin elle avait cédé à sa passion et filé à Marbella pendant que Silas rattrapait le retard qu'il avait pris dans son travail pendant ces six dernières semaines.

Ils auraient eu le temps de rentrer chacun chez eux avant que Julia n'ait à se rendre à Dubaï au début du mois de novembre, mais Silas avait jugé préférable qu'ils restent à Marbella, où ils n'avaient besoin de mentir à personne sur le fait qu'ils étaient déjà mariés. Et puis, cela leur permettait de passer du temps ensemble.

Comment aurait-elle pu s'y opposer alors qu'elle se sentait si bien en sa compagnie ? Silas lui apportait un bonheur inégalable. Le simple fait de penser qu'elle était sa femme l'emplissait d'une joie plus pétillante que le meilleur des champagnes. Elle n'avait jamais rien connu de tel. Elle se levait chaque matin le cœur plein d'allégresse, et elle s'endormait chaque soir en se disant que tout ce dont elle avait rêvé se trouvait contenu dans l'homme allongé près d'elle.

Elle avait l'impression de vivre sur un petit nuage et elle rayonnait littéralement. Elle était même arrivée à la conclusion que ce qu'elle avait souffert à cause de Nick lui avait permis de voir quelle chance elle avait de vivre avec Silas. Elle se sentait bénie des dieux. Elle savait que, selon son mari, Nick aurait dû être poursuivi et puni par un tribunal pour ce qu'il avait tenté de lui faire, mais elle savait aussi qu'il comprenait et acceptait qu'elle ne le fasse pas, pour épargner Lucy.

Silas… Cela faisait déjà trop longtemps qu'elle était loin de lui, il lui manquait déjà ! Son regard descendit vers ses pieds. Ces chaussures étaient vraiment splendides. Du coin de l'œil, elle aperçut une petite étagère à l'autre extrémité de la boutique, où était exposée une minuscule réplique du modèle qu'elle essayait, dans une pointure pour bébé.

Son cœur s'arrêta soudain, puis se mit à battre plus vite. Ses yeux se voilèrent d'émotion. Un bébé de Silas. Leur bébé… Si elle se sentait tellement heureuse en ce moment, comment serait-ce quand elle attendrait un enfant de lui ?

Elle s'approcha des petites chaussures et les toucha du bout du doigt. Elles étaient si mignonnes…

— Vous voulez ? demanda la vendeuse dans un anglais approximatif.

— Non, pas encore, répondit-elle en secouant la tête.

Pas encore, mais bientôt, peut-être ? Silas voudrait un héritier, et son grand-père serait ravi de devenir arrière-grand-père.

Julia sourit à son chauffeur de taxi quand il la déposa devant l'entrée de l'Alfonso, et lui donna un généreux pourboire. Elle hésita entre aller prendre une boisson fraîche au bar ou se dépêcher de rentrer à la villa pour voir Silas.

Mais y avait-il vraiment à hésiter ?

Elle ne perdit pas de temps à passer par la porte d'entrée, préférant prendre la petite porte qui donnait sur le jardin, au cas où Silas aurait fini son travail et serait au bord de la piscine.

Ne le voyant pas, elle traversa la terrasse et ouvrit la porte-fenêtre. Elle s'arrêta net en entendant une voix féminine dire avec une froide sévérité :

— Silas, je n'arrive pas à croire que tu aies fait ça.

— Et moi je n'arrive pas à croire que vous ayez fait tout ce voyage depuis New York pour me dire ça, mère, répondit Silas, tout aussi froidement.

Que faisait sa mère ici ? Et que voulait-elle dire ?

— Non, bien sûr, poursuivit celle-ci. Simplement, la mère de Julia désirait me parler de l'organisation du mariage et je suis donc allée la voir à Londres. Elle voulait savoir si elle n'avait oublié personne sur la liste des invités, et si je voulais ajouter des gens.

Comme Silas ne répondait rien, sa mère reprit.

— Elle m'a aussi appris que vous étiez ici. Julia semble avoir de meilleurs contacts avec sa mère que toi avec moi. Comme j'étais déjà en Angleterre, j'ai décidé de prendre un avion pour l'Espagne, afin de comprendre ce qui se passait au juste.

— Tu sais très bien ce qui se passe. Julia et moi allons nous marier.

— Où est Julia ?

— En ville. Elle s'achète des chaussures.

Julia, qui n'avait pas perdu un mot de la conversation, grimaça en entendant la mère de Silas soupirer. Elle avait toujours soupçonné cette femme de la considérer comme quelqu'un d'écervelé et de superficiel. Ce soupir semblait le confirmer…

— Silas, j'espérais mieux que cela.

Julia sentit son cœur se serrer. C'était pire encore que ce qu'elle craignait.

— Il n'y a pas de meilleure femme pour moi que Julia, répondit sèchement Silas.

— J'espérais mieux *de* toi, pas *pour* toi ! s'écria-t-elle. Et tu le sais. Quand tu m'as annoncé, voilà huit ans, que tu voulais épouser Julia, non pas par amour mais parce que d'un point de vue pratique elle était parfaite pour toi, je t'ai dit ce que j'en pensais.

— Vous aviez dit que Julia ne voudrait pas de moi.

La visite de sa mère était une surprise pour Silas, qui ne faisait que compliquer une situation déjà délicate. En effet, tout était resté secret jusqu'à présent. Julia voulait annoncer la nouvelle de leur mariage à sa mère et à son grand-père avant que celle-ci ne soit rendue publique, mais elle voulait le faire en personne.

Certes, ils auraient pu retourner en Angleterre avant d'aller à Dubaï, mais, pour le moment, Silas n'avait aucune envie de partager sa femme avec qui que ce soit. Et puis, il tenait à ce que Julia retrouve pleinement sa joie de vivre et son assurance, avant de plonger dans le tumulte que provoquerait la grande nouvelle.

Pour Silas, admettre qu'il aimait Julia avait été la chose la plus difficile qu'il ait jamais faite. Lui qui avait toujours pensé que l'amour n'était qu'une illusion, une quantité négligeable dans un mariage, se sentait à présent vulnérable. Il avait besoin de temps pour s'accoutumer à ce nouvel aspect de sa personnalité, pour se faire à cette idée et annoncer au monde entier qu'il était amoureux de sa femme.

Et il était hors de question que sa mère soit la première à être mise au courant. Surtout qu'il n'avait pas encore prononcé les fameux mots qu'il brûlait de murmurer à l'oreille de Julia depuis quatre semaines…

— Julia est la femme parfaite pour moi, se borna-t-il à répéter.

Dans le couloir, à l'abri de leurs regards, Julia luttait contre ses sentiments contradictoires. Les révélations de la mère de Silas la choquaient et la blessaient. Mais elle se demandait si elle-même n'était pas devenue plus pragmatique ces derniers temps. L'honnêteté l'obligeait en effet à reconnaître que Silas ne lui avait jamais dit qu'il l'aimait. Elle avait simplement supposé que c'était le cas à cause de ce qu'elle ressentait pour lui — et parce qu'elle n'avait jamais imaginé qu'il puisse l'épouser pour une autre raison.

A présent, elle voyait combien elle avait été naïve. Qu'allait-elle faire ? Se mettre en colère et crier qu'elle l'aimait ? Demander le divorce parce que lui ne l'aimait pas ?

Mais qu'était-ce que l'amour ? Devait-il obligatoirement y avoir des fleurs et des mots doux ? N'était-ce pas différent quelquefois ? Quand un homme protégeait la femme qu'il avait épousée, quand il lui assurait un avenir confortable, à elle et à leurs futurs enfants, quand il accordait de l'importance au plaisir sexuel qu'ils partageaient, n'était-ce pas aussi une forme d'amour ? Ou bien se faisait-elle des illusions ? Il lui avait dit que la confiance et l'honnêteté étaient les fondements de leur mariage et elle avait accepté de le croire. Pourrait-elle aussi accepter de l'entendre lui dire qu'il ne l'aimait pas ?

— Ce qui me préoccupe, reprit la mère de Silas, ce n'est pas de savoir si Julia est parfaite pour toi, mais de savoir si tu la rendras heureuse. J'ai l'intention d'attendre son retour, afin de m'assurer que tu n'as pas fait pression sur elle pour qu'elle accepte de t'épouser...

Julia prit une profonde inspiration, et sortit brusquement de l'ombre pour entrer dans la pièce.

— Je crains d'avoir surpris quelques bribes de votre conversation, dit-elle d'une voix qu'elle voulait légère. Je suis rentrée depuis quelques minutes, et je ne voulais pas vous interrompre, mais...

Elle espérait que le sourire qu'elle affichait était tel que Silas le voulait : calme, serein, celui d'une femme qui admirait l'homme qu'elle avait épousé...

— Je dois vous dire, madame, que je partage tout à fait le point de vue de Silas. Je pense que nous avons suffisamment de points communs pour que notre mariage fonctionne.

— Mais tu n'es pas amoureuse de lui ?

— L'amour n'est pas une condition indispensable pour un bon mariage, répondit-elle d'une voix ferme.

Silas n'avait pas prononcé un mot, mais quand Julia le regarda, elle eut la surprise de constater qu'il posait sur elle un regard sombre et contrarié.

Instinctivement, elle se rapprocha de lui et lui prit la main, avant de dire d'une voix tremblante :

— Je crois que nous devrions dire la vérité à ta mère.

— La vérité ? répéta-t-il.

Silas fronça les sourcils. Voulait-elle parler de l'amour qu'il lui portait ?

— Oui, répondit-elle d'une voix plus posée. Nous ne l'avons encore dit à personne, mais Silas et moi sommes déjà mariés.

Julia vit la mère de Silas diriger son regard sur son ventre, puis vers Silas, avant de revenir de nouveau vers elle.

— Non, je vous arrête tout de suite, votre fils n'a pas été *obligé* de m'épouser, expliqua Julia.

Silas ne put s'empêcher de rire en voyant l'expression de sa mère. Celle-ci n'avait sans doute aucune idée de la véritable raison qui l'avait poussé à précipiter son mariage avec Julia. Lui-même ne l'avait comprise que récemment : tout simplement parce qu'il l'aimait et qu'il voulait la lier à lui pour toujours.

— Tu aurais pu me soutenir quand j'ai dit à ta mère que tu ne m'avais pas épousée à cause d'une grossesse. Au lieu de ça, tu as éclaté de rire, fit remarquer Julia tandis que Silas lui versait une tasse de thé.

Il y avait tout juste une heure qu'ils avaient raccompagné la mère de Silas à l'aéroport, et Julia commençait à se sentir très fatiguée.

— J'étais sous le choc, dit-il.

— *Toi* ? Sous le choc ?

— Oui, je n'avais pas réalisé jusqu'alors que tu étais aussi pragmatique.

— Je ne pouvais tout de même pas dire à ta mère que j'ai voulu t'épouser parce que tu étais le meilleur amant au monde !

Elle devait absolument se contrôler. Il n'était pas question qu'elle gâche tout en fondant en larmes et en suppliant Silas de lui dire qu'il l'aimait…

— En effet, concéda-t-il. Mais je crois qu'elle n'aurait pas détesté que tu répondes que tu m'adorais.

— C'est le cas : comme je viens de le dire, j'adore ta façon de me faire l'amour.

Silas serra les dents. Pourquoi les paroles de Julia lui faisaient-elles aussi mal ? Il aurait dû être ravi du compliment. Pourquoi le sexe ne lui suffisait-il plus ? Pourquoi avait-il besoin d'un lien plus profond entre eux ?

— Tu crois qu'elle va en parler à ma mère ou à grand-père ?

— Tu veux parler de nos ébats sexuels ?

— Non, Silas, tu as très bien compris. Va-t-elle leur dire que nous sommes déjà mariés ?

— Non. Mais j'avoue que je ne comprends toujours pas pourquoi tu as voulu le lui dire.

Julia se força à rire.

— Vu ce qu'elle te disait, j'ai cru qu'elle allait m'emmener de force à New York pour m'arracher à toi.

— Et tu n'en avais pas envie ?

Non ! Elle avait envie de passer le reste de sa vie avec lui, elle ne supporterait pas de vivre autrement… mais elle ne pouvait pas le lui dire.

— Pas vraiment. Et toi ?

— Comment ? Et manquer d'être réveillé chaque matin par tes caresses soi-disant innocentes ? A ton avis ?

— A mon avis, le meilleur endroit pour boire une tasse de thé, c'est dans un lit.

Le monde autour d'elle venait de s'effondrer, mais Julia faisait tout ce qu'elle pouvait pour de ne pas le laisser paraître.

— C'est tentant, mais peut-être plus tard, répondit Silas en se levant. J'ai des e-mails à envoyer…

— A Aimée ?

Il fronça les sourcils d'un air courroucé.

— Pourquoi diable aurais-je besoin de lui écrire ?

Comme Julia ne répondait rien, il poussa un soupir agacé.

— Je n'ai aucune envie d'écrire à Aimée de Troite, pas plus que de coucher avec elle, si c'est ça qui t'inquiète. Je n'ai pas d'attirance pour elle, je n'en ai jamais eu, et je n'en aurai pas, fût-elle la dernière femme sur la terre. C'est une névrosée qui a un comportement destructeur envers elle-même et envers les autres. Maintenant, si ça ne te dérange pas, je vais y aller. J'en ai assez de parler d'elle !

Julia posa sa tasse pour qu'il ne voie pas combien ses jambes tremblaient.

Silas s'éloigna. Vu ce qu'il ressentait, il ne se voyait pas faire l'amour avec Julia. Il n'aurait pas pu s'empêcher de lui montrer que le sexe ne lui suffisait plus. Et il ne voulait surtout pas lui avouer son amour après l'avoir entendue dire que c'était tout ce qu'elle désirait de lui.

L'ironie de la situation lui arracha un sourire amer : il avait été tellement pris par son désir d'épouser Julia, pour des raisons pratiques au départ, qu'il ne s'était jamais demandé pourquoi elle avait accepté.

12.

— J'ai tout réglé avec l'agence de voyage. Le cheikh Al Faisir mettra à notre disposition une villa dans la propriété de Jumeirah.

Silas s'était chargé des formalités pour leur voyage à Dubaï, et Julia l'écoutait en hochant la tête, essayant de se concentrer sur ce qu'il disait. Elle avait ressenti une forte nausée en se réveillant, tout comme la veille, et à présent, elle se sentait épuisée.

— Le cheikh est un parent de la famille régnant à Dubaï, lui expliqua-t-elle, dont certains membres assisteront à la fête de fin de ramadan que nous organisons. Il y aura aussi ses relations d'affaires.

— Cela va être un gros événement, alors ?

— En effet, répondit-elle. Nous avons suggéré au cheikh un décor autour du thème des Mille et Une Nuits, avec quelques éléments fantastiques. La fête aura lieu sur une plage privée avec un accès à l'un des plus grands hôtels de Dubaï. Les invités pourront s'asseoir et manger dans des pavillons prévus à cet effet, qui seront tendus de velours et de soieries multicolores, pour créer un effet de luxe et d'opulence. Il y aura bien sûr des musiciens, des feux d'artifice, des diffuseurs de vapeurs parfumées — très prisés là-bas. Nous avons aussi prévu plusieurs attractions : des magiciens, un avaleur de sabre, un charmeur de serpents… et une danseuse du ventre qui est une véritable vedette dans son pays. La liste des invités comporte une foule de célébrités : des propriétaires de chevaux de course, des joueurs de golf professionnels, des pilotes de formule 1, des stars qui ont des propriétés dans la région… En tout, plus de mille personnes. C'est un contrat très important pour nous.

— Et intéressant sur le plan financier, j'imagine.

— Je l'espère, pour Lucy. Apparemment, c'est Marcus qui a décroché ce contrat pour nous.

— Blayne ne va pas débarquer, j'espère ?

— Non, nous avions déjà établi le calendrier de l'année quand nous avons signé ce contrat. Lucy et Nick étant déjà impliqués dans d'autres projets, j'ai été chargée de celui-ci.

— Et où est Blayne maintenant ?

— Je n'en sais rien. C'est étrange, maintenant que j'y pense… J'ai parlé au téléphone avec Lucy à plusieurs reprises ces derniers jours, et elle ne l'a jamais mentionné.

— D'après mes sources, dit Silas, il n'est pas à Londres. Du moins, s'il y est, il ne dort pas chez lui.

Julia n'avait pas envie de parler de Nick. Elle avait des choses bien plus importantes en tête. Quand avait-elle eu ses dernières règles ? Cela faisait cinq, six semaines… Avait-elle simplement du retard, ou bien cela signifiait-il que… ? Son cœur se mit à battre la chamade.

— Silas, je… Il y a quelque chose…

Mais celui-ci regarda sa montre et s'exclama :

— Bon sang, j'avais oublié l'heure ! Je vais manquer ma partie de golf si je ne pars pas tout de suite.

Après avoir déposé un rapide baiser sur ses lèvres, il disparut par la porte d'entrée.

Julia soupira tristement. Etait-elle enceinte ? Elle l'espérait de tout son cœur. Peut-être devrait-elle aller à Marbella pour acheter un test de grossesse avant de se faire de fausses idées et de prévenir Silas. Mais avant cela, elle avait du travail.

Silas était parti depuis une heure à peine quand Julia entendit frapper à la porte d'entrée de la villa. Pensant que ce devait être leur employée de maison qui venait voir s'il y avait des courses à faire, elle alla ouvrir pieds nus.

Une jeune femme aux cheveux blond platine, très mince, avec une poitrine généreuse mais à l'aspect artificiel, se tenait sur le seuil, un manteau de fourrure sur le bras et un minuscule sac à main en peau de serpent dans sa main droite ornée de plusieurs diamants.

Julia la reconnut immédiatement.

— Aimée de Troite !

— Il faut que je voie Silas, lâcha celle-ci en poussant Julia pour entrer. Où est-il ?

— Il… Il n'est pas là.

— Vous n'êtes tout de même pas cette parente éloignée à qui il est fiancé ? Non, cela n'est pas possible. Silas déteste les brunes. Il préfère les blondes sophistiquées. Mais où est-il ? J'ai hâte de le voir et de lui annoncer notre bonne nouvelle.

« Leur » bonne nouvelle ? Que voulait-elle dire ? L'angoisse commençait à s'emparer de Julia.

— Vous êtes bien cette fille, n'est-ce pas ? Eh bien, je suis désolée de vous dire qu'il ne pourra pas vous épouser. Il va devoir m'épouser, moi. Voyez-vous…

Aimée marqua une pause, comme pour ménager son effet.

— Je vais avoir un bébé de lui, annonça-t-elle d'un ton triomphant.

Julia eut l'impression qu'une trappe s'était ouverte sous ses pieds et qu'elle tombait dans un tunnel noir sans fin. Non, il ne fallait pas qu'elle s'évanouisse.

De la confiance. C'était le fondement de leur mariage, Silas le lui avait dit. Et elle l'avait cru parce qu'elle savait qu'elle le pouvait. Il fallait à tout prix qu'elle trouve un moyen de conserver cette confiance…

— Vraiment ? s'entendit-elle répliquer. Comme c'est intéressant ! Etes-vous sûre qu'il est de Silas ?

Les grands yeux bruns d'Aimée devinrent menaçants.

— Evidemment que j'en suis sûre ! Sinon je ne serais pas là. J'aime Silas et il m'aime, même s'il refuse de l'admettre. Il est tout ce que j'ai toujours voulu, il le sait. Nous sommes faits l'un pour l'autre. Mon astrologue a effectué des recherches sur nos thèmes astraux, il dit qu'il n'a jamais vu un couple aussi harmonieusement uni. Je lui ai dit que notre fils serait un lord…

— Un comte, corrigea Julia d'une voix neutre.

Etait-ce possible ? Aimée attendait-elle un enfant de Silas ? Son ventre était si plat et son corps si mince qu'il semblait inconcevable qu'elle puisse accueillir un bébé, mais les apparences étaient parfois trompeuses. La preuve : son ventre à elle n'était pas encore rebondi non plus.

— Si j'étais vous, je commencerais déjà à faire mes valises, siffla Aimée. Après tout, inutile de rendre les choses plus pénibles. Silas va devoir m'épouser maintenant que je suis enceinte de lui. Naturellement, un homme dans sa situation a besoin d'un fils, et je sais que mon bébé sera un garçon.

Il n'était pas dans la nature de Julia d'être manipulatrice, mais elle s'entendit annoncer avec calme :

— Si vous voulez voir Silas, vous allez devoir vous rendre à Londres.

— A Londres ? Mais on m'a dit qu'il était ici !

— Il était ici, mais sa mère lui a demandé d'y aller afin de régler une affaire pour elle.

— Et quand rentre-t-il ?

— Je l'ignore. Il m'a dit de ne pas l'attendre avant la fin de la semaine prochaine.

— La semaine prochaine ? Mince, j'ai un rendez-vous pour une manucure après-demain. Où est-il, à Londres ?

— En général, il descend au Carlton.

— Vous ne pourrez pas garder Silas, vous savez, ajouta Aimée après un silence. Il est à moi, et je vais l'avoir… peu importe ce qu'il m'en coûtera. Où puis-je trouver un taxi ?

— Devant l'hôtel.

— Vous voulez dire que je vais encore devoir marcher avec ça ? demanda-t-elle en montrant à Julia ses talons aiguilles en peau de lézard.

— Ce sont des Manolo ? demanda Julia.

— Oui, les mêmes que celles de Mme Hilton, sauf que les miennes ont un talon plus haut. D'ailleurs, je crois que le niveau de mon compte en banque est aussi plus élevé que le sien.

Tout comme son ego, songea Julia.

— Je vous raccompagne, dit-elle.

Elle était prête à tout pour se débarrasser d'elle avant le retour de Silas.

— D'accord. Oh, vous pouvez porter mon manteau ? Je pourrais marcher plus aisément… Il a été fait sur mesure, vous savez. Il est en vison véritable…

L'estomac de Julia se souleva.

Non, Silas ne pouvait pas aimer cette femme. C'était impossible. En dehors de toute autre considération, il y avait quelque chose de malsain chez elle qui donnait la chair de poule.

Pour en finir au plus vite, Julia emprunta un raccourci vers l'hôtel. Elles passèrent devant les piscines dont les bassins avaient été vidés pour être nettoyés. Avec prudence, elle marchait à distance du bord carrelé. Son attention était concentrée sur le lourd manteau qu'Aimée l'avait obligée à porter, si bien que quand elle se sentit bousculée, elle fut prise au dépourvu et perdit l'équilibre en poussant un cri.

Elle eut le temps de se tourner vers Aimée avant que celle-ci ne la pousse de nouveau vers le bassin vide : le regard dément de la jeune femme lui glaça le sang.

Aimée essayait de la tuer…

Dans son affolement, elle n'avait pas remarqué que trois ouvriers finissaient de nettoyer un des bassins. Ils se précipitèrent à son secours et saisirent ses poignets juste au moment où elle allait basculer dans le vide.

Julia n'avait pas voulu attendre que Silas revienne à la villa, et avait préféré venir le chercher à la sortie du terrain de golf.

— Qu'y a-t-il ? Que se passe-t-il ? demanda-t-il d'un air inquiet.

— Aimée de Troite est venue te rendre visite.

— Comment ?

Il semblait choqué.

— L'aimes-tu, Silas ?

Il fallait qu'elle sache avant d'aller plus loin. Il fallait qu'elle l'entende de sa bouche, même si elle avait l'impression de connaître déjà la réponse.

— Comment ? demanda-t-il encore.

— L'aimes-tu ? insita-t-elle.

— Non, répondit-il sombrement.

« Je serai toujours honnête avec toi », lui avait-il promis. Elle l'avait cru et le croyait toujours. Lentement, elle laissa l'air s'échapper de ses poumons oppressés. Non, Silas ne lui mentirait pas.

— Pourtant Aimée dit qu'elle t'aime. Et elle dit que…

Silas laissa échapper un juron, ce que Julia ne l'avait jamais vu faire auparavant.

— On ne peut pas discuter ici, rentrons à la villa. Elle n'y est pas, j'espère ?

— Non, je lui ai dit que tu étais parti à Londres.

— Excellente initiative ! Julia, je ne sais pas ce qu'elle a pu te dire, mais je te jure qu'elle n'est rien pour moi...

— Je te crois. Mais elle a l'air de croire que vous êtes faits l'un pour l'autre.

— Elle est complètement névrosée. Il y a quelque temps, à New York, j'ai commencé à croire qu'elle me traquait.

— D'après elle, cela a été plus loin que ça, dit Julia d'une voix faussement légère en ouvrant la porte de la villa.

— C'est-à-dire ?

Elle se tourna pour lui faire face.

— Elle m'a dit qu'il fallait que je t'oublie parce qu'elle attendait un enfant de toi.

Julia attendait que Silas lui dise que c'était impossible, mais il ne dit rien. Dans ce silence oppressant, elle eut l'impression que son cœur se brisait. Elle n'était plus une enfant. Elle savait que les hommes pouvaient coucher avec une femme pour de multiples raisons qui n'avaient rien à voir avec les sentiments. Mais elle avait cru que Silas était au-dessus de cela.

— Elle est complètement folle, murmura-t-il enfin.

— Mais il est possible qu'elle soit enceinte de toi ?

— Oui. C'est possible.

Désemparée, Julia ne put que s'exclamer :

— Oh, comme c'est drôle ! Parce qu'il se trouve que moi aussi, je crois que je suis enceinte. Je me demande laquelle de nous deux accouchera la première ? Elle, je suppose !

Et elle fondit en larmes.

142

— Tu te sens un peu mieux ?

Julia fit oui de la tête. Elle était pelotonnée dans le lit, et Silas était assis près d'elle.

— Mais explique-moi encore, s'il te plaît.

— Très bien, soupira-t-il. Aimée a décidé qu'elle était amoureuse de moi. Elle a commencé à apparaître partout où j'allais. Elle appelait mes amis, s'invitait aux soirées auxquelles elle savait que j'assisterais. Elle a même essayé de corrompre mon gardien pour qu'il la laisse entrer dans mon appartement. Un jour, elle a réussi à pénétrer dans la salle de conférences de la Fondation et elle a ensuite prétendu que c'était moi qui lui avais demandé d'attendre là. Heureusement, j'étais à l'étranger à ce moment-là. Puis, elle m'a envoyé des lettres, des photos…

— Et des vidéos…

— Oui. J'ai découvert qu'elle avait un lourd passé psychiatrique que sa famille a toujours dissimulé. J'ai donc dit à ses parents que s'ils ne la faisaient pas soigner, je porterais plainte contre elle.

— Tu l'aurais fait ?

— Probablement pas. Mais je ne savais plus quoi faire pour m'en débarrasser. Un soir, elle est venue à un dîner de charité auquel j'assistais. Je parlais à un ancien camarade d'université quand elle s'est dirigée vers moi. Mon ami, Hal, a commencé à parler de l'époque où nous étions à Yale et où quelques-uns d'entre nous s'étaient laissé convaincre de faire un don pour une banque de sperme qu'un médecin mettait en place pour aider des couples qui ne pouvaient pas avoir d'enfant. Je n'arrive pas à croire que j'aie pu être aussi naïf… J'imagine que nous étions très jeunes et tous pleins d'idéaux. Toujours est-il que Hal a raconté comment ce médecin était devenu une personnalité très médiatique qui, contrairement à ce qu'il avait prétendu, monnayait très cher les dons que nous avions faits. Aimée s'est mêlée à notre conversation et a commencé à poser des questions à Hal sur ce médecin. J'aurais dû deviner ce qu'elle manigançait, mais je ne me suis douté de rien.

— Et tu penses qu'elle aurait pu contacter ce médecin ?

— Ce que je pense, c'est qu'elle a pu acheter un prélèvement et se convaincre qu'il était de moi. On nous avait garanti l'anonymat, mais oui, en effet, il y a une chance infime pour qu'elle soit enceinte de moi. Julia, ne pleure pas, je t'en prie…

— Je ne peux pas m'empêcher de penser au pauvre bébé. Silas, il faut que nous fassions tout ce que nous pouvons pour qu'il s'en sorte. Lorsqu'elle apprendra que tu ne vas pas me quitter pour l'épouser, elle n'en voudra peut-être plus.

— Julia, cela peut très bien ne pas être mon enfant.

— Mais cela peut l'être, et s'il est de toi, nous devrons faire tout ce qu'il faut pour cet enfant. Crois-tu qu'elle nous laisserait l'adopter, Silas ? Nous pourrions élever les deux enfants ensemble ? Je ne supporte pas l'idée que ce pauvre petit être puisse grandir en pensant que tu n'as pas voulu de lui. Même si elle ne nous laisse pas l'adopter, tu pourras toujours faire en sorte qu'il te connaisse et qu'il vienne te voir de temps en temps chez nous…

Silas secoua la tête.

— Il faudra d'abord faire un test d'ADN.

— Non ! s'écria Julia. Je ne crois pas que ce soit une bonne idée.

— Pourquoi cela ?

— Silas, Aimée veut ce bébé parce qu'elle croit qu'il est de toi. S'il s'avère que ce n'est pas le cas, elle va sans doute le rejeter. Et il se retrouvera seul au monde. Tu ne peux pas lui faire ça. C'est trop cruel.

Jusqu'à ce moment, Silas croyait connaître sa femme, mais il réalisait à présent que non. Dans son arrogance, il s'était longtemps cru supérieur à elle, intellectuellement, émotionnellement et moralement. Mais elle venait de faire preuve d'une telle grandeur d'âme qu'il se sentait honteux d'avoir pu le penser.

— Tu dois te dire que je suis le roi des imbéciles pour avoir fait ce don.

— Non. En réalité, j'admire beaucoup ton geste. Cela montre combien tu es humain et généreux. C'est un très beau cadeau de permettre à un couple de concevoir un enfant.

— Oh Julia, arrête, je t'en prie ! Je t'aime déjà trop, je risque de t'aimer encore plus.

Les lèvres entrouvertes, Julia le regardait, l'air abasourdi.

— Est-ce que tu peux répéter ce que tu viens de dire ?

Il rougit légèrement.

— Pourquoi ?

Elle se mit à plier nerveusement un pan du couvre-lit entre ses doigts.

— Eh bien, je voudrais être sûre que tu as bien dit que tu m'aimais avant de te dire que moi aussi je t'aime…

Elle lui souriait, de ce sourire lumineux qui lui ressemblait tant et faisait l'effet d'un rayon de soleil sur le cœur de Silas.

— As-tu vraiment dit à ta mère que tu allais m'épouser le jour de mes dix-huit ans ? demanda-t-elle encore.

— Oui, mais je ne me suis rendu compte de ma véritable motivation que bien plus tard.

— Quand ?

— Quand tout ce qui comptait pour moi était de te voir sourire de nouveau après que Blayne t'ait droguée. Quand j'ai su que ton bonheur était plus important dans ma vie que n'importe quoi d'autre. J'ai su alors que ce n'était pas un mariage de raison, mais d'amour.

— Mais tu as pourtant dit à ta mère que…

— Je lui ai dit que tu serais une épouse parfaite pour moi.

Et c'est vrai. Bon sang, Julia, je ne pouvais pas répondre à ma mère que je t'aimais alors que je ne te l'avais pas encore dit.

— Tu étais si froid et distant avec moi après le départ de ta mère que je pensais que tu ne voulais plus de moi.

— J'avais peur en te touchant de perdre le contrôle et de t'avouer ce que je ressentais. Tu venais juste de me dire que tu étais d'accord avec les raisons pratiques pour lesquelles je t'avais épousée.

Julia prit tendrement le visage de son mari entre ses mains.

— Oh, Silas, je t'aime tant !

— Ai-je une petite chance d'en avoir une preuve concrète ? demanda-t-il d'une voix rauque.

Julia poussa un soupir de bonheur et tendit les bras vers lui.

— Pas une chance, une certitude ! parvint-elle à murmurer sous ses baisers ardents.

Épilogue

— Oh, Silas, regarde, il neige !

Julia était blottie dans le canapé en velours du salon d'hiver d'Amberley, et son fils de six mois, le futur héritier des lieux, dormait près d'elle dans son berceau.

C'était Silas qui avait eu l'idée de faire baptiser le petit Henry dans la chapelle d'Amberley, un an jour pour jour après que ses parents y aient renouvelé leurs vœux de mariage. Julia avait été enchantée par cette idée.

La naissance de son arrière-petit-fils semblait avoir donné une seconde jeunesse au vieux comte. Ce dernier avait planté une vigne d'un cépage particulier à la naissance de l'enfant et avait déclaré qu'il avait l'intention de vivre assez longtemps pour en goûter le vin le jour où Henry serait adulte.

— Il est un peu tôt pour qu'il neige, dit soudain Silas d'un ton taquin avant de la rejoindre sur le canapé. Oh, ce n'est tout de même pas cette petite pluie froide que tu appelles de la neige ? Au fait, comment Lucy vient-elle ici ? Si elle arrive par le train, je peux aller la chercher à la gare.

— Je lui ai parlé au téléphone tout à l'heure, et elle m'a dit qu'elle venait en voiture. Je suis si contente qu'elle ait accepté d'être la marraine de Henry ! L'année dernière a été particulièrement difficile pour elle… Découvrir que Nick avait une maîtresse, divorcer, faire face à tous les problèmes de Clé en main…

— Personnellement, je pense qu'elle est beaucoup mieux sans Blayne, même si je reconnais que ce ne doit pas être facile de gérer le désordre financier qu'il a laissé derrière lui.

— Quel dommage qu'elle ait refusé que tu l'aides ! Je suis mal à l'aise en pensant qu'elle doit lutter pour s'en sortir alors que nous avons tant d'argent.

— Elle a sa fierté, Julia, et nous devons la respecter. Mais j'ai discuté avec Marcus, et je lui ai dit qu'il pouvait compter sur nous pour donner un coup de main à Lucy en cas de besoin. Mais d'où est-ce que ça vient ? demanda-t-il en voyant un numéro de *La vie de la jet-set* au pied du canapé.

— Je l'ai acheté en allant faire des courses ce matin, confessa-t-elle. Mais je ne l'ai pas encore lu. Je me suis endormie après la tétée de Henry. Je peux te dire que ton fils a très bon appétit !

Elle se pencha pour ramasser le magazine, le feuilleta et se figea devant une des pages.

— Silas, regarde ça ! s'écria-t-elle.

— Qu'y a-t-il ?

— « Une des héritières les plus riches de New York annonce ses fiançailles, lut-elle. La millionnaire Aimée de Troite vient d'annoncer qu'elle allait épouser son astrologue personnel, Ethain Lazlo, le roi de l'horoscope qui prétend être un descendant de Raspoutine. Aimée et Ethain prévoient de se marier le jour de l'Epiphanie, date qui, selon l'astrologue, donnera une dimension sacrée à leur union. »

— Eh bien, je leur souhaite bonne chance. Ils vont sûrement en avoir besoin. Enfin, s'il est aussi doué qu'il le prétend pour lire dans l'avenir, il doit savoir ce qui l'attend.

— Silas, ce n'est pas très gentil, protesta Julia.

Mais elle n'insista pas. Elle savait que Silas en voulait encore à Aimée pour ce qu'elle avait fait.

Après avoir prétendu qu'elle attendait un enfant de lui, elle avait refusé de se rendre au rendez-vous médical prévu par les avocats de Silas, déclarant publiquement qu'elle avait peur que le gynécologue ait été payé pour la forcer à avorter.

Les avocats de Silas avaient par ailleurs parlé avec le médecin qui dirigeait la banque de sperme à laquelle Silas avait fait un don, et celui-ci avait affirmé que l'anonymat des donneurs et la confidentialité des dossiers avaient toujours été respectés. Aimée l'avait bien contacté et l'avait supplié de lui vendre le prélèvement de Silas, mais il lui avait clairement signifié que c'était impossible. Puis, constatant sa fragilité mentale, il avait conseillé à la jeune femme de suivre une thérapie, en plus du suivi psychologique qu'il proposait habituellement aux personnes qui faisaient appel à lui pour concevoir un enfant.

Après cet entretien, il avait même adressé un courrier confidentiel à Silas, pour expliquer qu'en raison des progrès de la médecine depuis une quinzaine d'années, il avait décidé d'écarter les échantillons de plus de trois ans. Par conséquent, il n'aurait en aucun cas pu exaucer le souhait d'Aimée.

Finalement, quatre mois après avoir dit à Julia qu'elle était enceinte de Silas, Aimée avait annoncé par l'intermédiaire de ses avocats qu'elle s'était trompée et qu'elle n'était pas enceinte.

— Tu ne crois pas qu'une fois qu'elle a compris qu'elle ne pourrait pas te forcer à l'épouser, elle a pu interrompre sa grossesse ? demanda Julia, soucieuse.

— Cette question ne m'étonne pas de toi, soupira Silas. Non, Julia, je ne crois pas, et mes avocats non plus. Je reconnais que je suis surpris qu'Aimée n'ait pas essayé de faire croire à une fausse couche, plutôt que d'admettre qu'elle avait menti, mais elle a dû agir sur les conseils de son avocat, qui savait qu'il aurait fallu fournir des certificats médicaux. Lui-même a sous-entendu que ce n'était pas la première fois qu'elle essayait de jouer ce tour.

Le petit Henry se réveilla et gazouilla gaiement dans son berceau. Silas se pencha aussitôt vers lui et prit son fils dans ses bras. La fierté et l'amour qui se lisaient dans son regard firent sourire Julia.

L'angoisse qu'ils avaient vécue à cause des mensonges d'Aimée les avait encore plus rapprochés. Silas avait tenu Julia au courant, lui avait demandé son avis, et ils avaient pris toutes les décisions conjointement.

A présent, ils formaient une famille solidement liée par l'amour.

— Je vais devoir régler les derniers détails du dîner de charité quand nous rentrerons à New York, rappela-t-elle. J'espère que ce sera un succès.

Même si elle avait été chaleureusement accueillie par les épouses des pairs de Silas, Julia savait que le succès du premier dîner de charité qu'elle organisait était une épreuve qu'elle devait remporter.

Elle venait de passer les six dernières semaines à poser pour un peintre à qui Silas avait commandé un portrait d'elle portant les joyaux du maharadjah. Le portrait devait être dévoilé au public le soir du dîner de charité, ainsi que les véritables joyaux, et Julia espérait que cela suffirait à garantir le succès de la soirée.

Elle avait choisi de soutenir plus particulièrement les orphelins. Aussi avait-elle décidé d'exposer une série de photos d'enfants qui vivaient dans des conditions désolantes, pour toucher les invités habitués au plus grand luxe. Son but était de rassembler dix millions de dollars, une somme équivalente à la valeur du trésor du maharadjah. Mais qu'était-ce comparé au prix de la vie d'un enfant ?

— Merci, murmura Silas en se penchant vers elle pour l'embrasser.

— Pour quoi ?

— Pour tout. J'avais raison dès le début : tu es la femme parfaite pour moi, parfaite en tout point. Et je t'aime plus qu'aucun mot ne saura jamais l'exprimer.

Chère lectrice,

Vous nous êtes fidèle depuis longtemps?
Vous venez de faire notre connaissance?

C'est pour votre plaisir que nous avons
imaginé un rendez-vous chaque mois
avec vos auteurs préférés, vos
AUTEURS VEDETTE dans les
collections Azur et Horizon.

Les AUTEURS VEDETTE vous
donneront rendez-vous pour de
nouveaux livres vedette.

Pour les reconnaître, cherchez
l'étoile... Elle vous guidera!

Éditions Harlequin

HARLEQUIN

LE FORUM DES LECTEURS ET LECTRICES

CHERS(ES) LECTEURS ET LECTRICES,

VOUS NOUS ETES FIDÈLES DEPUIS LONGTEMPS?

VOUS VENEZ DE FAIRE NOTRE CONNAISSANCE?

SI VOUS AVEZ DES COMMENTAIRES, DES CRITIQUES À FORMULER, DES SUGGESTIONS À OFFRIR, N'HÉSITEZ PAS… ÉCRIVEZ-NOUS À:

     LES ENTREPRISES HARLEQUIN LTÉE.
     498 RUE ODILE
     FABREVILLE, LAVAL, QUÉBEC.
     H7R 5X1

C'EST AVEC VOS PRÉCIEUX COMMENTAIRES QUE NOUS ALLONS POUVOIR MIEUX VOUS SERVIR.

DE PLUS, SI VOUS DÉSIREZ RECEVOIR UNE OU PLUSIEURS DE VOS SÉRIES HARLEQUIN PRÉFÉRÉE(S) À VOTRE DOMICILE, NE TARDEZ PAS À CONTACTER LE SERVICE D'ABONNEMENT; EN APPELANT AU (514) 875-4444 (RÉGION DE MONTRÉAL) OU 1-800-667-4444 (EXTÉRIEUR DE MONTRÉAL) OU TÉLÉCOPIEUR (514) 523-4444 OU COURRIER ELECTRONIQUE: AQCOURRIER@ABONNEMENT.QC.CA OU EN ÉCRIVANT À:

     ABONNEMENT QUÉBEC
     525 RUE LOUIS-PASTEUR
     BOUCHERVILLE, QUÉBEC
     J4B 8E7

MERCI, À L'AVANCE, DE VOTRE COOPÉRATION.

BONNE LECTURE.

HARLEQUIN.

VOTRE PASSEPORT POUR LE MONDE DE L'AMOUR.

<u>COLLECTION HORIZON</u>

Des histoires d'amour romantiques qui vous mènent au bout du monde!

Découvrez la passion et les vives émotions qu'apportent à la Collection Horizon des auteurs de renommée internationale!

Captivantes, voire irrésistibles, ces histoires d'amour vous iront assurément droit au coeur.

Surveillez nos trois nouveaux titres chaque mois!

HARLEQUIN

COLLECTION ROUGE PASSION

- **Des héroïnes émancipées.**
- **Des héros qui savent aimer.**
- **Des situations modernes et réalistes.**
- **Des histoires d'amour sensuelles et provocantes.**

LAISSEZ-VOUS TENTER
par 3 titres irrésistibles
chaque mois.

RP-1-R

I

69 L'ASTROLOGIE EN DIRECT
TOUT AU LONG
DE L'ANNÉE.

(France métropolitaine uniquement)

Par téléphone 08.92.68.41.01

0,34 € la minute (Serveur JET MULTIMÉDIA).

Composé et édité par les
éditions Harlequin
Achevé d'imprimer en juillet 2006

BUSSIÈRE

GROUPE CPI

à Saint-Amand-Montrond (Cher)
Dépôt légal : août 2006
N° d'imprimeur : 61300 — N° d'éditeur : 12243

Imprimé en France